Terug naar de kust

Van Saskia Noort verscheen ook bij uitgeverij Anthos:

Aan de goede kant van 30

De eetclub

Saskia Noort

Terug naar de kust

Anthos|Amsterdam

Eerste druk maart 2003
Negentiende druk januari 2005

ISBN 90 414 0929 7
© 2003 Ambo|Anthos *uitgevers*, Amsterdam en Saskia Noort
Omslagontwerp Studio Jan de Boer BNO
Omslagillustratie © Getty Images / Taxi
Foto auteur Cees Noort

Verspreiding voor België:
Veen Bosch & Keuning uitgevers n.v., Wommelgem

Voor mijn kinderen, Mathieu en Julia

'Mam! Mama! Ik kan het, kijk, ik kan op mijn hoofd staan!'

Wolfs schrille stemmetje trok me weer terug aan land, uit de kolkende zee van verdriet en de pijn in mijn lege baarmoeder. Daar stond hij, zijn rood aangelopen gezichtje ondersteboven in het zand, zijn buik bloot en paars van de kou, zijn blote voetjes wijzend naar de loodgrijze wolken. Hij viel om, lachte, sprong op en keek me brutaal aan.

'Zag je dat, mam? Merel, zag je me? Ik kan het ook!'

Merel negeerde haar broertje en zette haar zoektocht naar schelpen voor haar ketting voort. Ze liep aarzelend, tenen samengeknepen, het ondiepe water in, broekspijpen omhoog, kippenvel op haar dunne benen.

'Mam, Merel kijkt niet!'

Ik zat op mijn spijkerjack. Met mijn armen om mijn knieën geslagen wiegde ik zo onzichtbaar mogelijk heen en weer, om de pijnscheuten in *mijn buik dragelijker te maken. Ik keek naar mijn kinderen, hoe ze renden, met zand gooiden en dan weer stilstonden bij een dooie kwal of een mooie schelp.*

Zeven uur vanochtend was ik vertrokken. De keuze was gemaakt. Ik droeg Geerts kind, maar ik kon niet nog een kind alleen opvoeden. Ik was misselijk van de honger, maar kon niet eten. Ik kon alleen maar denken aan mijn kinderen, die wel een kans hadden gekregen. Hun warrige haren, Wolfs ogen, nog dik van de slaap, Merel, die tegen me aan kroop in bed.

Geert zou woedend zijn. Al was hij niet bepaald een goede vader, hij hield van zijn zoon en van mijn dochter en hij zou ook weer onvoorwaardelijk van dit kind gehouden hebben, al kon hij er niet voor zorgen. Maar het kon niet. Het kon niet en het werd tijd dat ik mijn verstand gebruikte. Geen eindeloze discussie met hem, die ongetwijfeld zou eindigen in een liederlijke ruzie, verwijten over en weer en uiteindelijk het instorten van Geert, waarna ik hem kon gaan troosten.

De baby moest weg. Het was mijn fout dat die er gekomen was en dus moest ik door de pijn van het afscheid heen. Daar kon ik Geert niet mee opzadelen. Het was de juiste beslissing.

Ik dacht aan de Colombiaanse moeder die ik ooit bij Spoorloos had gezien. Haar ontroering bij de foto van haar dochter, die ze had afgestaan omdat ze niet anders kon. Haar spijt van de beslissing het zusje van haar oudste dochter weg te geven. Haar hoop op een beter leven voor haar jongste, hoe ze iedere dag tot God bad dat dit meisje haar ooit zou zoeken. Afscheid moeten nemen van je kind, al kende je het niet, was het verschrikkelijkste wat een moeder kon overkomen.

Nadat het was gebeurd, ging ik naar huis om te douchen en mijn bed in te duiken. 'Neem een paracetamolletje en kruip lekker onder de wol,' had de gynaecologe gezegd. Maar het lege huis verstikte me. Het prikbord met de babyfoto's van Merel en Wolf. Het rondslingerende speelgoed. Babybilletjes op de televisie. Allemaal stille verwijten. Deze moeder had haar kind vermoord. En nu lag ze in bed. Mijn schuldgevoel verpletterde me. Ik moest weg. En zoals altijd wanneer ik het gevoel had te bezwijken, reed ik naar zee. Naar de plek waar ik was geboren, aan de rand van de duinen. De zeewind blaast de zorgen uit je kop, zei mijn vader altijd.

I

Het klepperen van de brievenbus en het neerploffen van de post deden me beseffen dat het al na elven moest zijn. Ik had zeker twee uur naar de regen zitten staren. De asbak lag vol peuken en mijn koffie was inmiddels koud.

Ik hees mezelf overeind en slofte richting de deur, waar ik het vochtige stapeltje enveloppen oppakte. Twee belastingaanslagen, een bankafschrift, een oproep van de tandarts voor halfjaarlijkse controle en een ansichtkaart. Een zwartwitfoto van schattige, roze babyvoetjes. Voetjes die naar lammetjes en Zwitsal roken, voetjes die ik wilde strelen en kussen, voetjes waarom ik rouwde. Wat een cynisch toeval. Mijn baarmoeder zoemde nog na van de pijn.

Het zou geen pijn doen, had de arts gezegd. Misschien een wee, menstruatieachtig gevoel in de onderbuik, meer niet. Ze had ongelijk. Het was inmiddels vijf dagen geleden, en ik liep nog steeds krom van ellende.

Ik raapte de kaart met trillende vingers op en streelde de gekrulde teentjes, het tere hieltje. Ik slikte mijn opkomende tranen weg en draaide de kaart om.

Maria!
Je bent een adder. Een slet die haar kind heeft vermoord. Je bent je kinderen niet waard. Je bent het leven niet waard. Al jaren volg ik je.
Iemand moet je straffen, hoer!
Ik hou je in de gaten.

Ik las de woorden, drie, vier keer, voordat ze tot me doordrongen. Daarna gooide ik het van me af. *Welke idioot schrijft zoiets?* dacht ik en tegelijk wist ik wie dit had gedaan. Er was maar één persoon kwaad genoeg op mij om me een adder en een slet te noemen, alleen hij wist van mijn abortus: Geert. Het was zijn kind, dat ik had laten weghalen. Ik trok de deur open, in de verwachting dat hij erachter zou staan, boosaardig grijnzend, maar er was niemand, behalve een miauwende kat.

De klootzak. Hij had de greep op zichzelf blijkbaar volledig verloren.

Natrillend van woede gooide ik water in het koffiezetapparaat en schepte koffie in de filter, waarbij ik op het aanrecht knoeide. Ik stak een sigaret op en staarde naar het armetierige straaltje bruin vocht, dat langzaam in de pot druppelde. Hier zat ik echt op te wachten. Na alle toestanden, het gevecht om mezelf van hem los te weken, ging hij me stalken. Ik keek naar buiten, naar de ramen van mijn achterburen, die ik niet kende en die hun gordijnen altijd gesloten hielden. Hij moest het wel zijn.

Dit was een serieuze bedreiging. Misschien moest ik hiermee naar de politie. Vier dagen geleden had hij me tenslotte nog voor hoer uitgemaakt. Scheldend en tierend was hij de deur uit gelopen, nadat ik hem had verteld dat ik een abortus had ondergaan. Hij was er zeker kwaad genoeg voor. Was dit zijn wraak? Ik kon het niet geloven. Als Geert al in staat zou zijn iemand iets aan te doen, dan was het zichzelf.

Maar wie anders wist ervan? Wie anders had er een reden om mij zo te haten?

Ik dacht aan die ruzie toen ik was thuisgekomen met de kinderen en hij op de stoep zat. Ik voelde me te beroerd om met hem in discussie te gaan, te zwak om een leugen te bedenken over wat er met me aan de hand was. Ik zei het hem plompverloren, al had ik me eerst zo voorgenomen het voor hem te verzwijgen.

Zijn gezicht werd grauw als cement. Hij dacht onmiddellijk dat ik het kind van een ander weg had laten halen. Toen ik hem er eindelijk van had overtuigd dat er geen ander was, en het tot hem doordrong dat het om zijn kind ging, werd hij nog kwader. 'Waarom?' had hij geschreeuwd. Wat maakte het uit, of we nu twee of drie kinderen hadden?

'Voor jou niets!' had ik teruggegild. 'Voor mij alles! Ik wil verder met mijn leven. Jij zuigt me mee in je depressie en ik kan er niet meer tegen. Nog een kind erbij maakt het alleen maar erger. Snap je dat dan niet?'

De koffie was klaar. Ik schonk hem in een grote mok waarop 'Voor mijn allerliefste Voetballertje' stond en nam een slok. Ik wist niet wat ik moest doen. De politie bellen? Nee. Dat zou overdreven zijn. Ik moest eerst met Geert praten. Vandaag nog. Hoe kwaad en gekwetst hij ook was, wat hij nu had gedaan ging te ver. Ik wist zeker dat hij er spijt van zou hebben. Dat hij het in een giftige, dronken bui had geschreven, afgelopen nacht, toen hij niet kon slapen.

Geert opende voorzichtig de afgebladderde donkergroene deur en keek met bloeddoorlopen ogen door een kier naar buiten. Ik was inmiddels zeiknat van de regen, en buiten mezelf van kwaadheid.

'Doe open, verdomme, ik ben doorweekt,' zei ik, en ik schopte tegen de deurpost aan. Hij peuterde met zijn slaperige hoofd het kettinkje los. 'Relax,' mompelde hij en hij liet me binnen.

Zes jaar geleden werden Geert en ik tijdens een auditie voor de coverband The Healers aan elkaar voorgesteld en ik sidderde toen ik zijn smalle, sterke hand schudde. Dat kwam door zijn blik, zijn grote diepbruine ogen, die leken te smeken om liefde. Hij was net een zigeuner met zijn dikke bos donkerbruine krullen en zijn lange, nonchalante lijf.

Twee uur later lag ik op Geerts matras, dronken en straalverliefd, blind voor de troep in zijn kamer en het feit dat hij op klaarlichte dag een fles wodka soldaat maakte. Drie dagen later trok hij bij me in. Mijn dochter Merel negeerde hem de eerste paar maanden. Ze had er al een aantal zien komen en gaan, onder wie haar vader. Maar Geert bleef en veroverde ook haar hart. Samen maakten we nog een kind, Wolf.

Hij droeg een grauw T-shirt en een boxershort. Hij snelde op zijn tenen voor me uit de trap op, terug naar de warmte.

'Kom maar naar boven,' zei hij, 'ik trek even wat warms aan.'

Ik liep achter hem aan en voelde dat mijn boosheid plaatsmaakte voor een intens verdriet terwijl ik keek naar zijn dunne benen, waarop kippenvel stond.

Siebe, onze drummer, was voor een paar maanden naar Nepal om naar zichzelf te zoeken. Ik had beloofd zijn planten water te geven, zijn post in de gaten te houden en zijn kat te voeren. Siebe wist al dat het tussen mij en Geert niet goed ging en bij het overhandigen van zijn huissleutel had hij gezegd dat zijn etage ook als toevluchtsoord zou kunnen dienen. Nu zat Geert hier en hij had zich de ruimte toegeëigend door er een enorme zooi van te maken. Lege bierflesjes en een halfvolle fles wijn, drie volle asbakken en een witte plastic tas met resten Chinees, waaruit Marvin, Siebes kat, zat te eten, bevuilden de tafel. Geert had het matras uit de slaapkamer naar de woonkamer gesleept en daarop lag zijn basgitaar en een stapel muziekboeken. Vanuit de douche klonken vertrouwde geluiden. Hij zong nog steeds het melodietje dat ik hem zes jaar lang bijna iedere ochtend had horen zingen. *When I woke up this morning, you were on my mind.*

'Koffie?' vroeg hij, terwijl hij de kamer in liep en zijn natte lange haren nadrupten op zijn sweater. Ik knikte en keek naar hem, naar zijn getergde gezicht, en kon geen spoortje haat ontdekken. We staken allebei een sigaret op en zochten naar woorden. Ik durfde niet te beginnen over de kaart. Geert liep naar de keuken. Hij kwam terug met twee dampende mokken en een pak suiker onder zijn arm. Met trillende vingers haalde ik de kaart uit mijn tas en legde hem voor me op tafel.

'Wat is dit?' mompelde hij bij het zien van de afbeelding, en toen hij de kaart oppakte en de tekst las, kauwde hij op zijn onderlip.

'Wat een gefuckte gek…' Hij keek me verbijsterd aan met zijn gebroken, vermoeide ogen. Ik wendde mijn blik af, omdat het me pijn deed hem zo te zien, in deze puinhoop, alleen, zo kwetsbaar als hij daar zat, ineengedoken en geslagen. Ik haatte mezelf. Ik had hem alles ontnomen waar hij van hield en nu kwam ik met deze beschuldiging aanzetten. Hoe kon ik denken dat hij, de man die ik zo lang lief had gehad en zo goed kende, mij zoiets walgelijks zou sturen? Aan de andere kant was er geen andere mogelijkheid. Hij moest het wel gedaan hebben. Het idee dat een onbekende, een of andere psychopaat, mij op het oog had, was nog vele malen ondraaglijker.

'Je denkt toch niet… Denk je dat ik dit heb geschreven?'

Geert stond op en slingerde de kaart op tafel. Hij keek naar me met samengeknepen ogen en blies driftig de rook van zijn sigaret uit.

'Het wordt steeds gekker! Kijk me aan! En zeg eens eerlijk… Verdomme! Hoe gestoord denk je wel niet dat ik ben? Dat ík jou bang zou willen maken?'

Ik stond ook op en legde mijn hand op zijn arm. Hij rukte zich los.

'Het is niet te geloven! Wat een puinhoop hebben we ervan gemaakt, Maria! Het kon al niet veel erger. En nu sta je hier… Mij te beschuldigen, alsof ik gek ben. Mij dumpen en ons kind weg laten halen zonder enig overleg was nog niet genoeg!'

Hij schopte zijn kussen door de kamer en schudde met zijn hoofd, wat hij altijd deed als hij te geëmotioneerd raakte. Hij wilde niet dat ik zijn verdriet zag. Ik wreef in mijn ogen, om de hete tranen die ik op voelde komen terug te duwen en zette mijn tanden in de binnenkant van mijn wang.

'Geert, dit is niet eerlijk. Vind je het vreemd dat ik aan jou dacht toen ik die kaart zag? Na al onze ruzies? Je hebt laatst een strijkijzer naar mijn hoofd gegooid! Je schreeuwde dat ik er grote spijt van zou krijgen…'

'Vind je het gek! Jij zette me het huis uit! Het gaat even niet lekker en hup, ik word weggestuurd. Alsof onze relatie niets voorstelde. En dan vertel je me ook nog eens tussen neus en lippen door dat je ons kind hebt laten aborteren...'

Hij ging liggen op zijn matras, met zijn handen onder zijn hoofd. Hij sloot zijn ogen. Zijn oogleden trilden.

'Zo was het niet helemaal. Ik heb je niet weggestuurd. Jij wilde weg omdat ik zei dat ik niet kon omgaan met jouw problemen. Omdat ik zei dat ik wilde leven. Dat ik er niet meer tegen kon... En jij ondernam niets. Je wilde liever lekker blijven sudderen in je depressie.'

Ik liep naar het raam, ging zitten op de vensterbank en legde mijn wang tegen het koele glas, kijkend naar de grijze lucht, die al maanden boven de stad hing.

'Wees eerlijk. Je was aan het doordraaien. Zo in de war. Ik kon je niet meer helpen.'

Hij rolde op zijn zij, sloeg zijn armen om zijn knieën en verborg zijn hoofd in het matras. Hij kreunde alsof hij pijn had.

'Je moet hulp zoeken. Ik kan het niet. Het is misschien egoïstisch van me, maar ik weet niet meer wat ik moet met die somberheid van je. Het is moeilijk om van iemand te houden die altijd negatief is, nergens meer zin in heeft. Snap je dat we zo niet nog een kind op de wereld kunnen zetten? Jij hebt je handen vol aan jezelf. En ik heb ook nog mijn eigen leven...'

'Aha, het gaat dus om jou. Jij hebt me gedumpt omdat ik je voor de voeten liep. En mijn kind ook maar meteen, hup weg ermee.'

'Hou op, Geert. Ik heb je gevraagd hulp te zoeken. Ik heb je gevraagd te stoppen met drinken. En steeds beloofde je dat. Je zou in therapie gaan... Ik heb het afgelopen jaar dag en nacht voor je klaargestaan. En het hielp niks! Het werd alleen maar erger.'

Geert kwam overeind. Hij streek met zijn handen over zijn gezicht en door zijn haren, en ik vond hem ineens weer zo shockerend mooi, dat mijn tranen zich opnieuw opdrongen. Dit keer liet ik ze lopen. Hij keek me gekweld aan.

'Ik hou van je, Maria. Ik zou je nooit, nooit pijn kunnen doen, wat je me ook aandoet. Die kaart heb ik niet geschreven.'

'Maar… Wie schrijft er dán zoiets?'

'Een gestoorde fan, weet ik veel… Misschien zo'n anti-abortus-gek die je heeft gezien bij de kliniek. Je moet naar de politie gaan.'

Ik huiverde. Dit was niet wat ik wilde horen. Het begon tot me door te dringen wat het betekende. Dat ik was uitverkozen. Dat iemand wilde dat ik bang was.

'Misschien valt het mee,' zuchtte Geert. 'Is dit een eenmalige grap. Maar ik zou het toch melden, als ik jou was. In ieder geval, als er iets is, dan kun je me altijd bellen.'

Ik stond op en liep naar de tafel. Mijn hand trilde toen ik de kaart oppakte en hem weer in mijn tas schoof. Ik pakte mijn jas van de stoelleuning en trok hem aan. Ik wilde nog iets zeggen wat de spanning tussen ons zou verbreken, maar ik wist niet wat. Wat we ooit hadden, was kapot en het voelde alsof ik het had gebroken. Ik kon even niet meer bedenken waarom ik onze relatie had beëindigd. Waarom ik voor een abortus had gekozen. Ik wist wel dat deze keuzes nu bestraft werden en dat als ik ze niet had gemaakt, ik nu geen kaart van een gek in mijn tas had zitten. Ik gooide mijn tas over mijn schouder en stootte een kop koffie om.

'Shit.' Ik zakte door mijn knieën om de scherven op te rapen, maar ik had de kracht niet meer. Geert bukte en sloeg zijn arm om me heen.

'Maria, ik wil niet dat het zo gaat.' Hij duwde zijn neus in mijn nek. 'Ik wil je terug. Ik wil mijn gezin terug. Ik wíl je beschermen…' Hij hing om me heen, als een lamgeslagen bokser. Ik rook zijn gewassen haar en scheerzeep, zijn geur, die me zo vertrouwd was. Hij kuste me met zijn volle, droge lippen, likte de tranen van mijn neus en zijn hunkerende handen gleden naar beneden, zochten bevend naar de sluiting van mijn beha.

'Volgens mij is dit geen goed idee,' zei ik schor. Hij kuste me nogmaals en streelde mijn lippen met zijn tong, boog zijn hoofd naar mijn borsten en vlijde zich ertussen.

'Ik wil alleen maar even bij je liggen. Je lijf voelen.'

Zo lagen we nog een halfuur op zijn matras. Daarna stond ik op om de kinderen van school te halen.

2

Ik was te laat. Op het schoolplein speelden nog wat oudere kinderen, terwijl Wolf en Merel hand in hand bij het hek stonden te wachten. Wolf kauwde dromerig op zijn blauwe sjaal, Merel stond te wiebelen op haar kaplaarzen en zocht de straat af met haar donkere blik. Toen ze me zag, klaarde haar gezicht niet op, maar werd nog bozer. Ze beende met grote stappen op me af, Wolf achter zich aan sleurend.

'Waar bleef je nou?' mopperde ze. 'Ik mocht bij Zoë spelen en Zoë's moeder heeft heel lang op je gewacht, maar toen zei ze: "Nu ben ik het zat, kom morgen maar spelen." En dus heb ik niemand!'

Ze schopte tegen mijn fiets, klom driftig op de bagagedrager en ging zitten met haar armen stijf over elkaar.

Mijn boze Mereltje. Terwijl ik me in verontschuldigingen uitputte, stond Wolf met zijn armpjes in de lucht gestoken 'Mama kusje!' te gillen. Snot liep uit zijn neus, over zijn rode, schrale wangen, en zijn handjes waren nat en koud, maar dat maakte hem hele-maal niks uit. Wolf was altijd blij. Dat twee kinderen geboren uit dezelfde buik zo volstrekt verschillend konden zijn.

Tegenover Merel voelde ik me vaak schuldig. Schuldig over het feit dat ze zo'n negatief zelfbeeld had. Steve, haar vader, had ons een jaar na haar geboorte verlaten, en ze leek voortdurend bang dat ik op een dag ook weg zou gaan.

Merel wilde liever een leven zoals dat van haar vriendinnetjes, Zoë, Sterre en Sophie. Zij hadden moeders die niet of parttime werkten en vaders die 's avonds thuiskwamen en veel geld verdien-den. Ze woonden in keurige huizen met smetteloze keukens, waar de schoenen uit moesten en de moeders om halfvijf 's middags aan het avondeten begonnen. Ze wilde 'gewoon' zijn. Als ik tijdens het afwassen begon te dansen of te zingen, werd ze woedend. 'Doe toch eens normaal. Jij wilt alleen maar sexy zijn,' riep ze dan, waarna ze me overdreven imiteerde en vervolgens kwaad wegbeende. Eén keer had ze alle flessen wijn leeggegoten in de wc en onze pakjes sigaretten in de gft-bak gegooid. Merel was zorgelijk. Kon vaak niet in slaap komen omdat ze lag te piekeren. Over dat ik dood zou gaan aan longkanker, een auto-ongeluk zou krijgen, of verliefd werd op een andere man en dat Geert en ik dan uit elkaar zouden gaan. Dat soort dingen zag ze op televisie en ze geloofde meer in de televisie dan in mij.

Net als alle moeders wilde ik alleen het goede voor mijn kinderen, maar op de een of andere manier kreeg ik mijn leven nooit op orde. Ik wilde een echt gezin, maar viel op mannen met wie een gewoon gezinsleven onmogelijk was. Ik wilde een stabiel, normaal leven en een vast inkomen, een opgeruimd, goed georganiseerd huishou-den, maar ik was te impulsief, te lui en te chaotisch. Ik kon met de kinderen op weg zijn naar de supermarkt, boodschappenlijstje in de tas, en eindigen in een café met een collega. Kinderen een tosti en een bord tomatensoep, ik een broodje kroket en een biertje. Fuck maar, dacht ik dan, ik leef nu, ik wil genieten van dit moment. Ik voel me nú goed en gelukkig. Dit wil ik aan mijn kinderen mee-geven, dat het leven één groot avontuur is en dat iedere dag iets anders, iets spannends brengt, als je er maar voor openstaat. Dan werd ik vervuld met een heerlijk gevoel van geluk en vrijheid, blij en trots dat ik anders was dan mijn ouders en zoveel intenser leefde. Ik gaf mijn kinderen veel meer mee dan ik ooit van hen had meegekregen. Wat waren mijn ouders opgeschoten met hun harde werken, hun zure, verbeten gesappel? Niks. Beiden stierven jong. Mijn moeder had zichzelf, na een leven vol psychoses en depressies, van kant gemaakt, mijn vader ging vijf jaar later dood aan een hartinfarct. Hoewel ze toch gezond aten en op tijd naar bed gingen en elkaar altijd trouw bleven. Ze rookten en dronken niet. Biechtten in de kerk hun armzalige zondes op. Mijn ouders. Ik heb nooit gevoeld dat ze gelukkig waren met mij en mijn zus. Met elkaar.

We fietsten naar huis. Wolf voorop, luidkeels zingend over kabouters op paddestoelen, Merel mokkend achterop. Ik vroeg ze hoe het op school was geweest en vertelde zo opgewekt mogelijk dat we eerst naar de bakker zouden gaan voor vers brood, en dat ze daar van mij iets mochten uitzoeken.

'Kindersurprise?'

'Nee, iets van brood. Croissantje of een krentenbol…'

Merel wilde een Twix en anders niks, Wolf wilde een soepstengel.

'Mam, wat eten we vanavond?'

'Heerlijke erwtensoep. Met spek en brood.'

'Getver!!!'

Ik stopte mijn neus in Wolfs haar, dat naar hooi rook, en trapte voorovergebogen verder. Merel legde haar hoofd tegen mijn rug.

Thuis ruimde ik de boodschappen op en zette thee. Merel oefende op de piano, Wolf speelde met zijn lego, en als niet die afschuwelijke kaart in mijn tas had gezeten, had ik nu kunnen genieten van dit huiselijke moment. In Geerts armen was ik ervan overtuigd geweest dat hij hem niet had geschreven. Maar nu begon ik weer te twijfelen. De kaart had mij wel recht in die armen gejaagd.

Aan de andere kant kon ik me niet voorstellen dat hij achter een typemachine zou gaan zitten om zoiets duivels aan mij te schrijven.

In mijn hoofd streepte ik mijn vrienden- en kennissenkring af, maar halverwege bedacht ik dat dat geen zin had. Mijn vrienden waren allemaal muzikanten. Ze hadden wel wat beters te doen dan mij bedreigen. Ik zat niemand in de weg, ik was gewoon een onbeduidend zangeresje met een middelmatig leven. Familie? Had ik nauwelijks. Mijn zus Ans en een hoogbejaarde, demente tante. Ik sprak Ans ongeveer eens per week en dan deden we allebei ons best om te doen alsof we een band hadden. Nee, als ik eerlijk tegen mezelf was moest ik wel concluderen dat niemand anders dan Geert een reden had om mij te haten.

Tenzij het een vreemde was. Een vreemde die wist wat niemand wist: dat ik mijn kind had laten weghalen. Misschien inderdaad een anti-abortusactivist. Iemand die mij had gezien bij de kliniek en me naar huis was gevolgd. Mijn naam stond op de deur en in het telefoonboek. Dorine, achtergrondzangeres van The Healers, had me pas nog aangeraden een geheim nummer te nemen en mijn deuren en ramen goed te beveiligen. Haar moeder was in haar huis beroofd door een bende Joegoslavische criminelen. Naar het scheen hadden die Joego's het huis al weken in de gaten gehouden en op het moment dat Dorines vader even weg was, sloegen ze toe. 's Nachts hielden ze je in de gaten, wachtten hun moment af, belden naar je huis en vroegen dan naar de heer des huizes. Als je nietsvermoedend antwoordde dat die er niet was, hadden ze je. Kwamen ze langs om je te beroven en te verkrachten, zoals ze ook in hun vaderland deden, bij al die vrouwen wier mannen in de bergen zaten. 'Die Joegoslaven zijn keihard, mensenlevens tellen niet voor ze,' had Dorine gezegd. 'En ze weten dat muzikanten vaak zwart betaald krijgen. Na een optreden wachten ze je op, bij voorkeur op zondagavond, dan heb je twee, soms wel drie schnabbels gehad en heb je contant geld in huis. Ze dreigen gewoon je kinderen dood te schieten als je naar de politie gaat. Precies wat ze in Bosnië en Kosovo hebben gedaan. Vrouwen chanteren met hun kinderen. Het wordt hier levensgevaarlijk met al die loslopende oorlogsmisdadigers.'

De bel ging en voor de deur stond ons buurmeisje Eva, op haar skeelers, met een grote, dikke envelop in haar handen. 'Deze is voor jullie,' zei ze en ze duwde de envelop in mijn handen. Daarna strompelde ze voorzichtig met haar skeelers de harde, stenen trap af.

'Wacht, Eva, waar heb je die gevonden?' vroeg ik, terwijl Wolf zich om mijn been klemde en Merel op de achtergrond gilde dat ze met Eva mee wilde.

'Mijn moeder was bang dat jongens uit de straat hem zouden pikken, dus had ze hem mee naar binnen genomen. Hij lag op je stoep.' Merel wurmde zich met haar step langs me heen naar buiten. Ik las mijn naam op de envelop en voelde mijn mond droog worden. 'Vertrouwelijk', stond er in de linkerbovenhoek. In dezelfde typeletter als op de kaart.

3

Ik zat met mijn hoofd in mijn handen op de wc. Wolf dreunde met zijn lijf tegen de deur en jammerde dat hij naar binnen wilde. Hij begreep er niks van dat ik de deur op slot had gedaan. Maar ik kon hem nu niet in de ogen kijken. Ik trilde nog te erg en kon ieder moment weer overgeven. De foto's. De kinderen mochten ze nooit te zien krijgen. Wolf krijste inmiddels van woede.

'Mamáááá! Ik wil drinken! Waarom doe je zo! Doe open!'

Ik wilde iets zeggen om hem gerust te stellen, maar er kwam geen geluid uit mijn keel. Ik hoorde hem hard huilend wegrennen.

In de envelop zat een computerprint met daarop de tekst 'Kindermoordenaar' en een stuk of dertig afbeeldingen, gedownload van internet, onder de kop 'Abortion Gallery'. Foto's van foetussen van drie, vier maanden oud, eerst nog in de buik, veilig dobberend in het vruchtwater. Vervolgens foto's van vruchtwaterzakjes, gevuld met foetussen, hangend aan de grote, mannelijke vingers van de abortusarts.

Freedom of Choice? stond er onder een foto waarop een los baby-hoofdje ter grootte van een vuist met een pincet werd vastgehouden. Het hoofdje was vertrokken in een grimas van angst en pijn. Embryo's, foetussen en bijna volgroeide baby's in stukken geknipt, op bebloede lakens, met grote tangen en scharen ernaast, in vuilniszakken, losse armpjes, beentjes en hoofdjes. Weggegooide kinderen. Afval.

Het was alsof mijn lichaam zich binnenstebuiten keerde. Ik had geprobeerd dit soort beelden niet toe te laten, ze weg te stoppen door de ingreep te rationaliseren. Dat het beter was voor dit kind om niet geboren te worden. Dat het nog geen kind was, maar een verzameling cellen, zonder gevoel, zonder bewustzijn. Ik dacht ook: als ik de abortus snel regel, zonder dat iemand het weet, dan is het eigenlijk net of het er nooit is geweest. Kan ik zo weer verder met mijn leven. Maar dat was allemaal onzin.

'Weet je wat ik héél vreemd vind?' had Geert gevraagd terwijl hij me aankeek met die achterdochtige blik die altijd op zijn gezicht verscheen wanneer hij kwaad op me was en naar iets zocht om me te kwetsen en te kleineren. 'Dat jij steeds maar weer zwanger wordt. Merel, ongelukje. Wolf, foutje. En nu dit. Ben je achterlijk of zo? Het begint me steeds meer op te vallen hoe dom je bent. Je slikt toch de pil?'

Ik had alleen maar mijn hoofd geschud, omdat ik geen zin meer had om mezelf te verdedigen. Hij zou niet naar me luisteren. Misschien had hij ook wel gelijk.

In feite was ik zwanger geraakt omdat hij niet kon slapen. Al een halfjaar deed Geert 's nachts geen oog dicht. Zuchtend, scheldend en soms huilend stapte hij iedere nacht weer uit bed. Urenlang zat hij beneden te roken en naar muziek te luisteren of op zijn gitaar te pingelen. Hij werd wanhopig van de slapeloosheid. Niets hielp. Hij dronk hele flessen whisky leeg, om moe te worden, maar hij werd alleen maar kwader. Slaappillen werkten slechts twee, drie uur. Ik wist niet meer wat ik met hem moest. Hij lag naast me te janken, te smeken om slaap en ik probeerde hem te troosten. Ik haalde warme melk met rum, draaide jointjes, streelde hem en zong voor hem. Dan werd hij ineens weer boos en bang dat ik hem zou verlaten. Pakte hij mijn heupen stevig vast, legde zijn hoofd in mijn schoot en klemde zichzelf om me heen als een aapje om zijn moeder. Ik vree met hem als troost. En om zelf rust te hebben. Geert sliep vaak pas wanneer de kinderen naast ons bed stonden omdat hun wekker was afgegaan. Als ik ze naar school had gebracht, dook ik ook weer in bed. Zo raakte ook mijn dag-en-nachtritme van slag. Slikte ik de pil soms pas om vijf uur 's nachts, of om halftien 's morgens. Ik was drie dagen over tijd en ik voelde het al aan mijn borsten. Pijnlijk, zwaar. Ik wist meteen dat dit kind niet geboren kon worden. En dat ons leven zo niet langer door kon gaan.

De foto's hadden hun doel getroffen. Toen ik de bloederige, verminkte, dode baby's zag, trok mijn baarmoeder samen en kwam mijn maag onmiddellijk in opstand. 'O god, o god,' stamelde ik, terwijl ik probeerde mijn ademhaling weer onder controle te krijgen. Ik zat op mijn knieën tussen de afbeeldingen, mijn hoofd boven de pot, en ik durfde niet overeind te komen, niet weer naar die afgeslachte kindjes te kijken. Degene die mij dit had gestuurd, moest écht gek zijn.

Met trillende handen en afgewend hoofd raapte ik ze op en propte ze terug in de envelop. Bij iedere glimp die ik opving, kokhalsde ik. Een jongetjesbaby, beentjes opgetrokken, piepkleine vuistjes voor zijn mond, een plas bloed rond zijn hoofdje, liggend op een vies laken, naast een operatieschaar die net zo groot was als hij. Zo was het niet bij mij, probeerde ik mezelf gerust te stellen. Ik heb een overtijdsbehandeling gehad. Een zuigcurettage. Het was nog niks. Weefsel. Geen kindje.

Nadat ik de wc schoon had gemaakt, legde ik wat houtblokken en kranten in de vuurkorf op mijn binnenplaats, stak het aan en gooide de afschuwelijke foto's in de vlammen. Binnen enkele seconden krulden en verkleurden de afbeeldingen van de foetuslijkjes, vatten vlam en verdwenen in de rook. Ik stak een sigaret op om de smaak van braaksel weg te krijgen, gooide nog wat houtblokken en kranten in de korf en staarde naar de vlammen.

'Wolf, Wolf, mama is vuur aan het maken, kom op!' Merels opgewonden stem vanuit de hal rukte me uit mijn sombere gedachten. Enthousiast kwam ze aanrennen en begon takjes op het vuur te gooien.

'Hé mam, waarom maak je vuur in de winter?'

'Ik had zin in warmte. En we hebben geen open haard, dus ik dacht: kom op, ik ga buiten lekker een fikkie stoken.'

Merel kwam naast me staan, sloeg haar armen om me heen en legde haar hoofd tegen mijn buik.

'Mooi hè, mam. En lekker warm.'

Ik streelde haar zwarte, stugge krullen, mezelf dwingend van dit kleine, intieme moment te genieten. Het gebeurde niet vaak dat ze me zomaar omhelsde.

Wolf kwam aanrennen, zijn kleine, blote voetjes kletsten als zwemvliesjes over de houten vloer.

'Jeeeeeh, vuur!' riep hij, en hij kwam springend op ons af, sloeg zijn armpjes om mijn benen en lachte.

'Ha mam, je zit in de sandwich. Jij bent de worst!'

Ik tilde hem lachend op, kietelde zijn bolle buik, en hij stikte van het lachen.

'Mam? Weet je…' begon Merel terwijl ze stoïcijns doorging met bladeren, takjes en stukken karton in het vuur gooien.

'Nou?'

'De vader van Stijn is dood.'

'Ach, nee. Wat erg. Is dat de vader die zo ziek was?'

'Ja. We maken met z'n allen een schilderij voor Stijn.'

'Wat goed van jullie. Was Stijn vandaag wel op school?'

'Heel even. Hij was stil, maar hij huilde niet. Ik heb hem mijn Milky Way gegeven. Ik zei tegen hem dat het went om geen vader te hebben. En dat er wel weer een nieuwe komt. Maar de juf zei: je hebt maar één echte vader.'

We zwegen.

4

De laatste keer dat ik Merels vader zag, werd hij door twee agenten afgevoerd uit mijn huis nadat hij onze keukendeur had ingetrapt omdat ik hem vroeg waar hij die nacht was geweest. Dat soort vragen hoorde je niet te stellen aan Steve. Hij kwam en ging, zoals het hem uitkwam, hij bepaalde zelf hoe hij zijn leven leidde, al woonde hij samen met mij en hadden we een dochter. Als we met de band op pad waren, liet hij me door een van zijn vrienden na het optreden naar huis brengen, terwijl hij zelf bleef hangen. Om te drinken, te jammen, te kaarten of te neuken. Ik wist dat, al zei hij er zelf nooit een woord over. Nerveuze meisjes belden me gewoon thuis op. Vroegen naar Steve. Blonde grietjes stonden bij ieder optreden vooraan, persten zich tegen het podium en duwden hun tieten omhoog, schudden ermee, hieven hun handen in de lucht, keken naar Steve met smekende blikken. Ze gooiden beertjes met briefjes. En Steve wilde zijn fans niet teleurstellen.

Vijf jaar lang was ik verslaafd aan hem. Aan zijn zwarte, gladde lijf en zijn volle, warme stem. Als hij lachte, lachte iedereen, als hij danste, danste iedereen. Ik adoreerde hem, hij had me gered uit mijn stoffige, benauwde nest en me geïntroduceerd in de wereld van de muziek. Hij ontdekte dat ik kon zingen en spoorde me aan mijn talent te ontwikkelen, hij maakte dat ik geloofde dat mijn droom, ontsnappen aan het bekrompen gat waar ik opgroeide, werkelijkheid kon worden.

Steve nam als mijn manager en minnaar alle beslissingen voor mij. Hij kon hartstochtelijk en dominant van me houden en me de volgende dag volstrekt links laten liggen. Uiteindelijk werd ik een opgefokt, jaloers, zenuwachtig, mager wrak door mijn complete afhankelijkheid van hem. Altijd alert en bang dat hij me op een dag zou inruilen voor een ander, altijd bezig hem te verleiden en te behagen. Maar mijn liefde, mijn adoratie voor hem werkte fantastisch op het podium. Niemand kon de songteksten over ontrouw, wanhopige liefde en verlatingsangst beter vertolken dan ik. Ik meende wat ik zong, en was daarmee in staat een hele zaal vol mensen aan het janken te krijgen. Op het podium was Steve even alleen van mij, ondanks al die irritante, kleine, geile grietjes die aan zijn voeten stonden te zweten. Ik liet ze graag voelen hoe klein en saai ze waren.

Ik zag hem voor het eerst in De Cel, een café in Bergen, het naburige dorp waar nog íets te beleven was. Daar trad hij op met zijn band The Sexmachine. Ik woonde zowat in die bruine kroeg, waar het roken van jointjes oogluikend werd toegestaan en Jimi Hendrix en de Stones nog steeds uit de boxen klonken. Vanaf school was het vijf minuten lopen naar De Cel, vijf minuten naar een andere, vrije wereld. Daar dook ik onder, ontsnapte ik aan wie ik was, namelijk de dochter van pensionhouder Cor Vos en zijn gekke vrouw Petra. Daar rookte ik aan de bar rode libanon met mannen die veel ouder waren dan ik omdat ik nooit naar huis wilde. Thuis at ik tartaartjes met sperziebonen en gebakken aardappelen te midden van ons stilzwijgende gezin. Maakte ik braaf mijn huiswerk en was ik een schim voor mijn ouders. In De Cel danste ik met hasjdealers en cokesnuivers die beweerden muzikant, dichter of kunstenaar te zijn. Mannen die beloofden me te introduceren in hun artistieke wereld, een kleurrijke wereld zonder regels. Ik dacht werkelijk dat 'het' daar gebeurde: dat De Cel het begin was, de baarmoeder waar kunst en muziek geboren werden, waar schrijvers, kunstenaars en muzikanten inspiratie opdeden. Daar wilde ik ook gevoed worden, daar zou ik iemand vinden die me mee zou nemen naar de stad, naar het buitenland, die mij kennis zou laten maken met de grote, geheimzinnige wereld van de bohémiens.

Steve Thomas, oftewel 'de Nederlandse Otis', zoals hij zichzelf graag voorstelde, was mijn held. Zijn stem was donker en raspend, emotioneel, vanuit zijn tenen, snikkend, krijsend en fluisterend, ik geloofde elk woord dat hij zong. Als hij in De Cel speelde, stond ik vooraan. Zijn band The Sexmachine speelde klassieke soul, covers van Otis Redding, Marvin Gaye, Wilson Pickett en James Brown. Ik had als puber niet zoveel met deze muziek, maar nadat ik Steve had zien optreden, kocht ik alleen nog maar soulplaten. Ik schreef op wat hij zong en kocht het de volgende dag. Ik maakte kamers schoon in het pension om lp's en songteksten te kunnen kopen in Alkmaar. Ik wilde alle teksten mee kunnen zingen, oefende eindeloos op mijn kamertje met mijn koptelefoon op. Fantaseerde voor de spiegel dat ik een duet met Steve zong.

Nadat hij weer had opgetreden in De Cel, en ik de hele avond aan zijn voeten had staan dansen en meezingen, en de tranen over mijn wangen hadden gestroomd bij 'I've Been Loving You Too Long', kwam hij naar me toe. Ik stond aan de bar te wachten tot ik wat kon bestellen, toen hij zich ineens over me heen boog. Ik rook de kokosolie op zijn schedel, de whisky die hij zojuist had gedronken, het leer van zijn broek en zocht naar iets interessants om te zeggen, maar mijn keel vernauwde zich, zodat er alleen maar een zielig piepje uit mijn mond kwam. Steve kuste mijn hand en vroeg me mee te gaan naar Extase, een discotheek in Alkmaar. Eindelijk had hij me ontdekt.

Dezelfde nacht kuste hij me, dwingend, hard en zacht tegelijk, streelde mijn gezicht met zijn duim en zei: '*I love you, baby. You sexy, naughty girl.*' Steve praatte graag Engels, al was hij net zo Nederlands als ik. Nog nooit had een kus zo veel indruk op me gemaakt. Zijn lippen waren gretig en sterk en lieten de mijne tintelen en gonzen. Ik had het gevoel alsof ik opgetild werd, alsof ik een bloem was die in één klap openspatte. Dat hij mij zag staan, mij wilde kennen, mij had uitverkoren uit al die meisjes.

Na die nacht wilde ik nooit meer naar huis. Een halfjaar later woonden we samen in Amsterdam en zong ik in zijn band.

Zo plotseling als hij in mijn leven was gekomen, verdween hij ook weer, een aantal jaren later. De buren belden de politie toen Steve weer eens tekeerging, en twee agenten kwamen hem halen om even 'af te koelen'. Merel huilde en trilde in mijn armen als een klein, bang hondje. Steve ging mee, lachend, met zijn handen in de lucht: 'Hé man, ik ben cool, weet je.' Hij kuste ons en fluisterde in mijn oor: 'Ik hoop voor jou, dat jij ze niet gebeld hebt.' Merel begon weer te huilen.

De hele nacht zat ik te wachten. Ik had besloten onze relatie te beëindigen. De moed bij elkaar geraapt om hem te vragen weg te gaan. De politie stond achter me. Ik kon het. Maar Steve kwam niet terug. Nooit meer. Hij was van de aardbodem verdwenen. Zijn vrienden, jongens van de band, niemand had hem meer gezien of gesproken. De politie had hem een uur nadat ze hem bij mij hadden opgehaald, weer op straat gezet. Hij had zijn paspoort en creditcard bij zich. Een maand later kreeg ik afschriften van American Express. Tienduizend gulden had hij opgemaakt aan een hotelkamer, een maatpak, drie Ray-Ban's, vijftien bezoekjes aan The Blue Note, een akoestische gitaar en een paar cowboylaarzen.

Zijn spullen stonden nog steeds op mijn zolder. Drie dozen vol kleren, boeken, foto's en cd's. Ik wist zeker dat hij op een dag ineens weer op mijn stoep zou staan.

5

Niemand had wat te zeggen in de bus op weg naar Leiden, naar de sociëteit van studentenvereniging Minerva. Geen van ons verheugde zich op een zaal vol dronken, met bier gooiende corpsballen, maar ze betaalden goed en waren al jaren trouwe fans. Voor de corpsballen hadden we een apart repertoire: veel meezingers en geen sexy outfits, daar werden ze maar onrustig van. We moesten ze bezighouden, mee laten klappen en gillen, ze mochten zich geen seconde vervelen, want dan liep je de kans weggehoond te worden.

Geert ontweek elk contact met mij door met zijn ogen dicht en met zijn discman op in zijn stoel te hangen. De anderen staarden treurig naar de regen of sliepen hun kater van de avond ervoor eruit. Charles, onze trompettist, reed en schold op de files. Dorine, Ellen en ik hingen achterover op de achterste bank. Ik dacht aan mijn kinderen, die ik thuis had achtergelaten met onze oppas van vijftien. Ik had haar de opdracht gegeven voor niemand de deur open te doen en de telefoon op het antwoordapparaat te laten. Toen ik controleerde of alle ramen dicht waren, had ze me verwonderd gevraagd of er soms iets was en ik had onmiddellijk spijt van mijn panische gedrag. Het laatste wat ik wilde, was mijn oppas de stuipen op het lijf jagen.

Ik wist uit ervaring hoe onderlinge relatieproblemen konden leiden tot het uit elkaar vallen van een band. Zes jaar waren we nu samen, reisden we vier tot zes keer per week van het ene gat naar het andere gehucht, van dancing 't Karrewiel naar sportcentrum De Karpeton, deelden we onze problemen en successen, maar wat er nu aan de hand was tussen mij en Geert, viel niet te bespreken. Ik had Geert beloofd met niemand te praten over zijn depressie en ik wilde niet dat iemand wist van mijn abortus. Ik was bang voor hun afkeuring, voor eindeloze discussies die mijn eigen twijfels alleen maar aan zouden wakkeren.

Optreden en repeteren vormden voor mij een heerlijke ontsnapping aan mijn dagelijkse bestaan in Amsterdam, waar iedereen uniek probeerde te zijn. Op het podium was ík uniek, de ster, de zangeres naar wie iedereen luisterde. Samen optreden was een soort drug, wakkerde in mij een euforisch, bijna religieus gevoel van liefde voor de muziek aan. Er bestaat geen kunstvorm met zo veel kracht. Alleen muziek kan troosten, gelukkig maken of als een mes door je ziel snijden.

Dat gevoel ebde doorgaans pas weg wanneer ik midden in de nacht weer thuiskwam, en ik de oppas slapend op de bank aantrof, te midden van bergen speelgoed, lege zakken chips en halfvolle glazen cola. Dan overviel de vermoeidheid me en voelde ik me leeg. Weinig geld verdienen met 's nachts werken, zonder enig toekomstperspectief: ik liet mijn kinderen alleen om zangeresje te spelen voor mijn eigen kick. Maar ik kon niet anders. Ik moest zingen, al wist ik dat mijn doorbraak nooit meer zou komen, dat ik deel uitmaakte van het grote leger van B-muzikanten die songs van anderen speelden op braderieën en bedrijfsfeestjes.

De zaal van de Leidse sociëteit stond bomvol met jasje-dasjes en keurige meisjes in jaarclubsweaters. Onder een deken van grijze sigarenwalm golfden de studenten, die stinkend naar bier en zweet elkaar duwden, floten en 'Komt er nog wat van' scandeerden. Ik stond op mijn tenen te wiebelen tussen de coulissen, wachtend op het sein van Martin, onze bandleider en leadzanger, om op te gaan. Hij kwam naast me staan, even strak van de spanning als ik.

'Luister,' zei Martin zonder me aan te kijken, terwijl hij aan de panden van zijn paarse colbert trok. 'Dat gezeik tussen jou en Geert is jullie zaak en jullie zorgen er maar voor dat daar op de bühne niets van te merken is. Ik wil jullie niet kwijt, maar als ik merk dat het niet gaat, dat jullie elkaar gaan lopen zieken of ontwijken, dan moet één van jullie weg. Dat heb ik ook tegen Geert gezegd.'

De band zette de eerste akkoorden in. Ik kreeg geen gelegenheid om antwoord te geven. Martin zette zijn zwarte Ray-Ban op, hief zijn hand en rende het fluitende publiek tegemoet. *We're so glad to see so many of you lovely people here tonight...*

Dorine, Ellen en ik volgden. *Everybody needs somebody, everybody needs somebody, to love.* Oorverdovend gegil. Ik voelde me een geil, blond beest. Niets deed er meer toe. Het enige wat nog telde was deze stampende, dampende orgie van soul.

Na drie toegiften zaten we aan het bier in een tot kleedkamer omgedoopte opslagruimte opgewonden door elkaar te kakelen alsof we zojuist een voetbalwedstrijd hadden gewonnen. We waren als een trein over de corpsballen heen gegaan. Martin kon niet zitten, hij was zo speedy dat hij nog steeds stond te dansen, met zijn vuisten gebald.

'Yes, yes, *mán*, wat waren we goed. We hebben ze hélemaal gek gemaakt. Ik ga straks die zaal in, echt, en ik pak zo'n Minerva-bitch.'

'Rot op, man. Ik ga geen seconde tussen die oubollige eikels staan. We gaan terug naar Amsterdam en daar nog even de kroeg in.'

Geert trok zijn witte overhemd uit en het viel me op dat hij nog magerder was dan een paar weken geleden. De rest van de band sloot zich bij hem aan. Niemand van ons had zin om zich hier in het biergebral te storten. Ik wilde ook zo snel mogelijk weg. Ik begon de make-up van mijn gezicht te halen, toen er geklopt werd. Een hese, bekakte stem vroeg naar Maria Vos. Ik draaide me om en zag een jongen staan, de mouw van zijn jasje half afgescheurd, zijn stropdas scheef. Martin lachte.

'Hé, Maria, een fan. Frederik-Willem van Wippenstein heeft een cadeautje voor je. Een dildo met het wapen van Minerva erop!'

De bal kreeg een rood hoofd, Dorine en Ellen gierden van het lachen. Hij droeg een pakket zo groot als een schoenendoos, met goudkleurig pakpapier en een rode strik eromheen.

'Een koerier heeft dit hier voor u afgegeven,' stamelde de jongen. Hij drukte het pakje in mijn handen en liep snel weer weg. Er zat iets zwaars in, wat schoof toen ik het scheef hield. Mijn handen begonnen te trillen. Ik wist bijna zeker van wie dit afkomstig was.

'Nou, kom op, pak uit!' zei Martin. Dorine mopperde dat ík dat weer had. Zij kreeg nooit cadeautjes van fans. Ik antwoordde dat ik het liever thuis uitpakte. Of helemaal niet. Ik schoof de doos weg en keek naar Geert, die ernstig terugkeek. Voordat ik haar tegen kon houden, griste Dorine het pak van tafel. Ze schudde ermee.

'Het is niet breekbaar,' lachte ze. Ze legde haar oor erop.

'Het tikt niet.'

Ellen rook eraan en deinsde terug, terwijl de lach van haar gezicht verdween. 'Getver! Het stinkt. Echt smerig!'

Dorine liet de doos vallen en keek me aan. 'Jezus, wat zou het zijn?'

Martin pakte hem op.

'Wat is dit verdomme nou weer voor gezeik.'

Hij scheurde het papier van de doos, opende de deksel en gooide de doos van schrik weer weg.

'Gadver… Gadverdamme! Het is een beest! Een dood beest!'

Wit weggetrokken rende hij weg, met zijn hand voor zijn mond. Op de grond lag een grote, dode, stinkende rat met een briefje om zijn nek gebonden.

'Een muskusrat,' mompelde Charles, die zich over het dooie beest heen boog en een poging deed het briefje te lezen dat met een roodsatijnen lintje om zijn bebloede nek zat.

'Heeft iemand van jullie een schaar, of een nagelvijl?'

'Rot op, Charles,' zei Geert. 'We gaan niet aan dat beest zitten pielen. Daar kun je ziektes van krijgen. We moeten de politie bellen. En die jongen terugroepen.'

Dorine sloeg haar arm om me heen. Mijn hoofd tolde, alsof ik in een reuzenrad zat. Ze gaf me een glas jonge jenever en een sigaret. Ik wist niet wat ik moest doen. Het begon definitief tot me door te dringen dat dit niet vanzelf over zou gaan. Dat hij zelfs wist waar en wanneer ik optrad. Het zou alleen maar erger en erger worden. Ik nam een grote slok jenever en het spul brandde op mijn tong en in mijn keel. Het hielp uitstekend tegen de lijkenlucht die nog in mijn neus hing. Ik snoof de geur van alcohol op en er kwam weer ruimte in mijn hoofd.

'Ik wil even alleen zijn,' zei ik. Vijf gezichten staarden naar me of ik een geest was.

'Zullen we eerst dat beest even wegdoen?' vroeg Geert, en hij begon de rat met de deksel weer terug in de doos te schuiven.

'Nee. Laat maar liggen.'

'Zal ik bij je blijven? Je kunt hier nu toch niet alleen blijven zitten?'

'Geert, laat me even met rust, ja?'

De anderen verlieten de ruimte.

'Ik ga die gozer zoeken. En de politie bellen, of je dat nu wilt of niet,' zei hij met opgeheven wijsvinger. Hij leek er echt zin in te hebben om de held te spelen.

Toen iedereen verdwenen was en ik mezelf moed had ingedronken, zakte ik naast de rat door mijn knieën. De weeïge rottingsgeur die van het beest afkwam, sloeg meteen weer op mijn keel. Maar ik moest het briefje lezen voordat de anderen terugkwamen. Ik schaamde me er vreemd genoeg voor om zo gehaat te worden. Blijkbaar was een haatbrief even intiem en vertrouwelijk als een liefdesbrief.

Met een zakdoek voor mijn mond probeerde ik kokhalzend het strikje van zijn nek los te pulken zonder het beest zelf aan te raken. Toen het me gelukt was, pakte ik het stukje papier met een tissue op.

Je bent een rat.
De rat fokt als een konijn
In het riool.
Ik ben de rattenvanger.
Met één klap sla ik je schedel in
En de wereld is weer een slet armer.

6

Geert stond erop met me mee te gaan naar huis. Alleen hij had het briefje gelezen. Hij had gescholden, terwijl ik zat te janken van angst. Ik laat je niet alleen met de kinderen, had hij geschreeuwd, en daarmee had ik er een probleem bij. Geert had van mijn kwetsbaarheid gebruikgemaakt om weer terug te keren in mijn leven en al wilde ik hem niet meer, ik wilde ook niet alleen zijn vannacht. De rollen waren nu omgedraaid: ik zat me huilend en rillend te bezatten terwijl hij me probeerde te troosten.

Ik hervond mezelf na twee Southern Comforts. Geert had kaarsen aangestoken, wierook in de houdertjes gedaan, de kachel hoog gezet en de keuken opgeruimd. Allebei waren we beter in het zorgen voor anderen dan voor onszelf.

De rottingslucht, die aan mijn kleren en mijn haren leek te kleven, werd langzaam verdreven door de geur van wierook en sigaretten. Ik voelde me bezoedeld, smerig, aangerand bijna, door het dreigende briefje en de vergelijking tussen mij en de dode, stinkende rat.

Geert kwam bij me zitten en vulde mijn glas voor de derde keer. Voor zichzelf opende hij een flesje bier met zijn aansteker. De kroonkurk viel op de grond en hij maakte geen aanstalten hem op te rapen. Duizenden kroonkurken had ik de afgelopen jaren opgeraapt. Evenzoveel keren had ik Geert gevraagd deze onhebbelijke gewoonte af te leren. Dat achteloze gebaar, het gewoon op de grond flikkeren van afval, daar kon hij me razend mee krijgen.

'Geert, raap dat ding op!'

'Maria, relax. Kom. Geef je hand.'

'Waarom?'

'Als jij gestresst bent, of ongelukkig, heb je altijd steenkoude handen. Ik wil ze verwarmen.'

'Donder op. Ik heb nu geen zin in jouw huis-, tuin- en keukenpsychologie.'

Hij leunde weer achterover in zijn stoel, trok zijn handen terug en begon met nerveuze vingers een sjekkie te rollen.

'Je moet naar de politie, Maria. Persoonlijk denk ik dat dit zo'n gek is die erop kickt jou bang te maken. Maar als het nou...'

Hij zweeg en inhaleerde diep. Hij keek langs me heen en zijn bekende, treurige blik verscheen op zijn gezicht. Hij nam een slok bier. Hij sloeg zijn ogen neer en zuchtte.

'Wat wou je zeggen?'

'Nou... Ik heb eens ergens gelezen dat de meeste stalkers mensen zijn die je kent. Misschien niet heel goed, maar vaak zijn ze dichterbij dan je denkt. En deze... Hij weet dat je een abortus hebt gehad. Hij weet waar en wanneer we spelen... Je moet goed nadenken met wie je de afgelopen maanden contact hebt gehad. Misschien is het iemand die je in de kroeg een blauwtje hebt laten lopen. Of een buurman die op je geilt... Of een *one-night stand...*'

'Of een ex die wraak wil nemen.'

'Jezus, Mar, daar hebben we het al over gehad. En als je dat werkelijk zou denken, dan zat ik hier niet.'

Ik draaide de ijsblokjes rond in mijn glas.

'Ik wéét wel dat ik naar de politie moet gaan. Maar ik zie er zo tegenop, om dit verhaal aan hen te vertellen.'

Vragen zoemden door mijn hoofd terwijl de drank mijn hersens benevelde en ik de controle over mijn tong verloor. Ik wilde slapen, maar ik wilde ook antwoorden, ik wilde niet meer nadenken, maar ook alert blijven.

'Ga jij nou maar naar bed, ik blijf wel hier zitten. Je hebt rust nodig, Maria.'

Ik stond wankel op mijn benen en begon te snikken.

'Waarom overkomt mij dit? Waarom haat iemand mij zo hevig dat hij dode ratten naar me stuurt?'

Geert sloeg zijn lange armen om me heen en begeleidde me de trap op.

'En jij dan,' snifte ik, 'jij moet ook slapen.'

'Ik slaap toch niet,' zei Geert.

Nadat hij me op bed had gelegd, viel ik onrustig in slaap. Ik droomde over Steve, die mijn zus neukte, en over ratten die uit het graf van mijn moeder kropen.

7

Het gekraak van de slaapkamerdeur maakte me wakker. Merel trippelde op haar tenen richting mijn bed, tilde het dekbed op en kroop eronder. Ze draaide net zo lang met haar mollige billen totdat ze helemaal tegen mijn buik aan lag. Daarna trok ze haar knieën op, stopte haar duim in haar mond en viel weer in slaap. Iedere ochtend rond een uur of zes kwam ze bij me liggen. Zodra ze zich tegen me aan vlijde, wilde ik niet meer slapen. Ik kriebelde over haar zachte, warme rug en legde mijn neus in haar nek. Ze rook naar warme melk en ergens in de verte ook naar haar vader. Haar gezicht was nog volledig ontspannen. Prachtige hazelnootbruine lippen, wimpers als twee glanzend zwarte waaiertjes, haar lange donkere krullen als een gordijn over het kussen en een droef kijkend versleten konijn in haar vuist, het oortje gevouwen rond haar neus. Iedere ochtend was ik weer ontroerd door haar schoonheid en verwonderd over het feit dat ik haar had gebaard. Dat zij uit mijn witte lichaam gekomen was.

Ik was al vier maanden zwanger toen ik erachter kwam dat ze zich in mijn buik had genesteld. Het was september en we toerden door Europa met The Sexmachine. Duitsland, Oostenrijk, Italië, Frankrijk, van het ene midzomernachtfeest naar het andere festival. Ik was doodmoe en grieperig en weet het uitblijven van mijn menstruatie aan de tour en alle stress.

Toen ik na twee weken thuis te zijn geweest nog steeds bekaf was en de hele tijd moest plassen, besloot ik maar eens naar de dokter te gaan. Hij controleerde mijn bloed en urine en kwam na tien minuten de wachtkamer weer in om te vragen of ik nog even terug wilde komen naar de spreekkamer.

'U bent zwanger,' zei hij, en ik begon meteen te snikken. Hij reikte een papieren zakdoek aan en vroeg of dit tranen waren van blijdschap of van verdriet. 'Ik weet het niet,' snotterde ik.

Steve was dolgelukkig. Hij tilde me op en lachte, schaterde, en ging daarna de stad in om het te vieren. Om halfzes 's morgens kwam hij weer thuis. Zingend. *That you're having my baby, what a wonderful way to say how much you love me...*

Ik had die nacht liggen rekenen. De dokter schatte de vrucht zo'n zestien weken. Zestien weken geleden. Dat was Koninginnenach in Den Haag. We hadden om twaalf uur 's nachts gespeeld, tot een uur of twee, en daarna waren we doorgezakt en hadden we gevreeën in de bus. De pil had ik pas thuis geslikt nadat we overdag nog in Amsterdam op een platschuit voor café Het Paleis hadden gestaan. Stom. Stom, stom, stom. Ik wilde geen kind. Ik was twintig en droomde van beroemd worden en daar kon ik geen baby bij gebruiken. En al was Steve nog zo enthousiast, hij was absoluut niet geschikt voor het vaderschap.

In een boekwinkel keek ik in het boek *Duizend vragen over de negen maanden* en zag dat het kindje in mijn buik inmiddels zo groot was als een sinaasappel en al in het bezit was van twee armpjes en twee beentjes. Steve wilde dit kind, al zou hij er geen dag voor zorgen. Ik wilde Steve. En beroemd worden. Hoe moest dat nu, met een baby in mijn buik? Nog even en optreden zou onmogelijk zijn. In de show van The Sexmachine, naast de Nederlandse Otis, paste geen zwangere vrouw. Steve zou met alle plezier op zoek gaan naar een vervangster. Zij zou meegaan in de bus, het land door, zich voor zijn neus omkleden. Ze zou met hem nazitten en uiteindelijk met hem naar bed gaan.

Zo geschiedde. Ik werd ronder en ronder en Steve bleef steeds vaker weg onder het mom dat hij geld moest verdienen voor zijn gezinnetje. Zijn afwezigheid werd opgevuld door zijn moeder. Ze kookte voor me, bracht kleertjes en cadeautjes en drukte Steve op het hart dat hij me moest beschermen tegen de verderfelijke en kwade invloeden van het nachtelijke muzikantenbestaan. Toen ik zeven maanden zwanger was, wilde hij me niet meer op het podium hebben. Ik moest van hem vroeg naar bed en veel eten.

Suzy heette mijn vervangster. Een kop groter dan ik en dikker, maar met vreselijk grote borsten. Haar stem was minder dan de mijne, vond ik. Er zat geen pijn en geen boosheid in en ze begreep weinig van soul. Maar iedereen kon zien dat zij en Steve als een blok voor elkaar vielen wanneer ze samen op het podium stonden. 'Allemaal show, schatje. Je weet toch hoe het werkt,' suste hij me.

Vanaf het moment dat mijn dochter blauw en glibberig op mijn buik lag, nadat ze haar met een pomp uit mijn lichaam getrokken hadden, hield ik meer van haar dan ik ooit voor mogelijk had gehouden. Ik kon niet ophouden met naar haar te kijken en me te verbazen over haar kleine lijfje, haar mondje dat zoekend om zich heen hapte en gulzig uit mijn borst dronk. Eindelijk was er iemand in mijn leven die me werkelijk nodig had. Die echt van me hield, onvoorwaardelijk. Het was alsof ze er altijd al was geweest, in mij, ik herkende haar meteen als mijn dochter. Ik had een kind, een meisje, en toen ze me aankeek met haar zwarte, glanzende oogjes wist ik ook dat ze Merel moest heten.

Geert klopte op de deur voordat hij binnenkwam met Wolf op zijn rug. 'Hé meiden, wakker worden,' zei hij. 'Ik heb koffie en croissants beneden.'

Merel sprong meteen uit bed. Ik bleef liggen met mijn ogen dicht. Ik had een kater en ik wist dat zodra ik overeind kwam, het gebonk in mijn hoofd zou beginnen. Southern Comfort en twee pakjes sigaretten. Het beeld van de dode rat. Geert die mijn leven weer was binnengekomen.

De kinderen stormden naar beneden en Geert kwam bij me zitten.

'Goed geslapen?' Zijn bruine krullen stonden alle kanten op en zijn gezicht was grauwgeel. Hij rook naar shag.

'Jij niet, zo te zien,' antwoordde ik.

'Kom op. Ik heb opgeruimd beneden.'

'Ja. Ik kom. Ga nu maar.'

Hij vertrok en ik hees mezelf uit bed. Al mijn spieren deden pijn. Croissants, ik moest er niet aan denken. Ik wilde dat Geert wegging. Ik wilde in mijn pyjama de krant lezen, stoeien met Wolf en Merel en doen alsof er niets aan de hand was. Hij was nog niet begonnen over de politie, maar ik wist dat hij dat na mijn eerste kop koffie zou doen. Ik wilde niet. Ik had geen goede herinneringen aan oom agent.

Ik wilde doen wat ik altijd deed als ik problemen had: me verstoppen en wachten tot het vanzelf verdween. Of weglopen. Hoe vaak had ik als kind niet over het strand gezworven, tot ver na zonsondergang, dromend dat ik nooit meer terug zou gaan? Ik speelde met zand en schelpen, bouwde een hut en fantaseerde dat ik daarin woonde. Ik bleef weg tot mijn moeder gekalmeerd was en in bed zou liggen. Of ik verstopte me onder de keukentafel, achter het kleedje met de rode kersen, knieën opgetrokken, armen er stijf omheen. Daar vonden ze me nooit.

De politie had me wel gevonden. Ik herinnerde me hun zwarte leren laarzen en de witte broekspijpen van de broeders die mijn moeder kwamen halen. Haar geschreeuw en de sussende stem van de dokter. De agent die me onder de tafel vandaan lokte en beweerde dat het allemaal goed zou komen, dat ik niet bang hoefde te zijn. Hoe kon ik niet bang zijn, terwijl het bloed van mijn vader op het linoleum drupte? Mijn eigen moeder had hem op zijn hoofd geslagen met een asbak. Ik zag hoe ze krabbend en bijtend werd afgevoerd, haar blauwgebloemde nachthemd vol rode spetters.

Geert ruimde de ontbijttafel af. Ik had geen hap gegeten.

'Ik heb met Rini afgesproken dat zij even op de kinderen past.' Hij schonk nog een kop koffie voor me in. 'Dan kunnen wij naar de politie.'

'Wij?' vroeg ik verbaasd en geërgerd. 'Waarom moet jij daarbij zijn? Waarom loop jij hier de boel ineens te bestieren?'

'Ik wil je alleen maar helpen. En ik wil niet dat je alleen bent. Trouwens, ik ben ook een getuige, weet je.'

'Luister. Ik heb je beloofd naar de politie te gaan en dat doe ik. Alleen. Heel lief dat je vannacht bij me bent gebleven, maar ik red het verder wel.'

'Er loopt hier ook nog een zoon van mij rond, weet je nog? En een klein meisje waar ik toevallig gek op ben. Ik wil niet dat jullie wat overkomt.'

'Ah, ik snap het. Ons beschermen is jouw nieuwe levensdoel!'

Hij ging tegenover me zitten. 'Heeft het nou echt zin om ruzie te maken? Kun je mijn hulp niet gewoon aanvaarden? Wil je alles per se alleen doen? Met het risico dat iemand je straks afmaakt? Of de kinderen iets aandoet?'

'Jíj zult weinig indruk maken als held, vrees ik. Ik wil niet dat je meegaat. Ik wil geen rekening meer met je hoeven te houden. Ik wil niet dat de kinderen hoop krijgen dat we weer bij elkaar komen. Ik wil niet dat jij weer hoop krijgt.'

Geert stond op en trok zijn jas aan. Hij liep naar de deur.

'Oké. Jij je zin. Ik ben al weg. Zeikwijf.'

Hij sloeg de deur achter zich dicht. Ik had spijt van mijn botte reactie, maar ik kon niet anders dan zijn hulp afwijzen. Hij irriteerde me. Ik kon hem beter hebben als depressief, aanhankelijk wezen dan als reddende engel. Omdat ik vermoedde dat het slechts een rol was die hij speelde.

8

In het politiebureau rook het naar zweet. Een ranzige, scherpe geur die de hele wachtkamer vulde. De baliemedewerkster had me verwezen naar dit aftandse hok en me beloofd dat ik straks door een agent zou worden opgehaald. Ze vroeg me zelfs of ik liever door een vrouw geholpen wilde worden. Het maakte me weinig uit.

Ik ging zitten op een van de plastic kuipstoeltjes, twee plaatsen verwijderd van een dikke, kale man die zat te knikkebollen. De zweetlucht kwam bij hem vandaan. Ik voelde me niet echt op mijn gemak hier, alleen met die snurkende kerel, aangestaard door tientallen gezichten vanaf lichtroze aanplakbiljetten. Gezichten van vermiste kinderen en gezochte criminelen. Beloningen voor tips. Het was alsof ik in een aflevering van *Baantjer* terecht was gekomen en het voelde vreemd dat iemand wiens hoofd thuishoorde op zo'n poster, achter mij aan zat. Dat ik misschien ook zou eindigen als beroerde zwartwitkopie aan de muur van deze groezelige, benauwde kamer.

Ik begon me af te vragen wat die dikke man hier deed. Hij was geen verdacht persoon, anders zou hij hier niet zitten. Alhoewel iedereen die zich bij de receptie meldde, doorverwezen werd naar deze ruimte. Misschien was hij wel een moordenaar die zichzelf kwam aangeven.

Je mocht hier stinken naar drank en zweet, maar roken blijkbaar niet. Ik liep naar buiten en voelde de ogen van de receptioniste in mijn rug prikken. 'Er komt zo iemand voor u, hoor!' riep ze me met een plat-Amsterdams accent na. Ze dacht waarschijnlijk dat ik er weer vandoor ging en eerlijk gezegd was ik dat ook aan het overwegen.

Ik hoorde een man mijn naam roepen en de receptioniste antwoorden: 'Ja, ze is er nog, ze staat buiten te roken.' De agent, zeker vijf jaar jonger dan ik, stak zijn hoofd om de glazen deur en vroeg me met hem mee te komen. Ik liet mijn peuk vallen, trapte hem uit en liep achter hem en zijn opgeschoren, roodgevlekte nek aan. Het was bijna komisch zoals hij voor me liep, handboeien links op zijn smalle kontje, een enorm pistool rechts, nauwelijks schouders in zijn blauwe overhemd. Hij had de slogan 'Die pet past ons allemaal' wel erg letterlijk genomen. Ik zag hem nog geen agressieve junk in de boeien slaan en toch liep hij door het bureau met een air alsof hij Arnold Schwarzenegger himself was.

We liepen naar een sober ingericht spreekkamertje en Johan Wittebrood, zoals hij zich voorstelde, bood me een gemakkelijke stoel aan en vroeg of ik koffie of thee wilde. Hij excuseerde zich en ging koffie halen. Agenten liepen lachend en pratend over de gang en ik deed mijn uiterste best om op te vangen wat ze zeiden, vermoedend dat het allemaal spannende kwesties waren. Ondertussen werd ik steeds nerveuzer.

'Nou, mevrouw Vos, vertelt u eens. Wat brengt u bij de politie?'

Wittebrood leunde ontspannen achterover, zijn beide handen om zijn koffiebekertje gevouwen. Ik roerde zenuwachtig met een plastic stokje in de slappe koffie.

'Iemand bedreigt me. Tenminste, ik word lastiggevallen…'

'Hmm. Weet u misschien wie dat zou kunnen zijn?'

'Nee. Ik zou het niet weten.'

'Hoe uiten die bedreigingen zich?'

'Nou, ik krijg brieven. En gisteren heeft hij me een dode, stinkende rat gestuurd. Ik heb de brieven meegenomen. De rat niet, natuurlijk.'

Er ontsnapte een nerveus gehinnik aan mijn mond, waarvoor ik me onmiddellijk schaamde. Ik pakte de brieven uit mijn tas en legde ze op tafel.

'U krijgt dus alleen brieven? Geen telefoontjes? Geen ongevraagde bezoekjes aan de deur?'

'Nee.'

Wittebrood keek vluchtig naar de papieren op tafel. 'Mevrouw Vos, we hebben een probleem. Iemand bedreigen is strafbaar, maar het ópschrijven van een bedreiging in principe niet. Wellicht ervaart u de brief als bedreigend, maar is hij dat in feite niet direct. U zou ervan staan te kijken als u wist hoeveel mensen rare briefjes sturen en ontvangen. Daar kunnen we niet allemaal achteraan gaan. De schrijvers van deze brieven voeren hun dreigementen slechts heel zelden uit.'

Ik begon kwaad te worden.

'Meneer Wittebrood, het interesseert me niet zoveel wat de meeste brievenschrijvers wel of niet doen. Ik voel gewoon dat deze man écht iets van plan is. Ik heb twee kleine kinderen voor wie ik alleen zorg... Misschien moet u de brieven even lezen, dan begrijpt u dat ik alle reden heb om bang te zijn.'

Hij nam de brieven in zijn hand en las ze snel door.

'Tja. Dit zijn afschuwelijke schrijfsels. Ik begrijp dat u van streek bent...' Hij keek me vol medeleven aan. Hij had goed geoefend op de politieschool. 'Maar ik moet u helaas zeggen dat wij er niets mee kunnen. We kunnen pas een onderzoek instellen als u werkelijk mishandeld of fysiek bedreigd bent.'

'Kunt u die brieven niet onderzoeken op vingerafdrukken?'

Hij glimlachte minzaam.

'Nee, daar is geen beginnen aan. Weet u hoeveel mensen zo'n brief in handen hebben gehad... De postbode, de postsorteerder, u, misschien uw vrienden en kennissen...'

'Ze zijn niet per post gekomen. Hij heeft ze zelf in mijn brieven-bus gestopt.'

'Laten we samen eens nagaan… Hebt u misschien onlangs uw relatie verbroken?'

'Dat doet er niet toe. Mijn ex heeft dit niet gedaan.'

'In bijna alle gevallen betreft het ex-geliefden die hun voormali-ge partner bedreigen. Soms anoniem. Sommigen blijven zelfs vriendschappelijk omgaan met hun ex en sturen achter haar rug om de meest perverse dreigementen.'

Ik dacht aan Geert. Zo doortrapt en ziek zou hij toch niet zijn?

'Ik dacht zelf… Ik zing in een band, weet u. Het zou een gestoor-de fan kunnen zijn. Of iemand die me in de abortuskliniek heeft gezien en me daarna gevolgd is… Een anti-abortusactivist.'

Weer dat glimlachje. 'Nou, we zijn hier niet in Amerika. We kennen in Nederland geen anti-abortusterrorisme. Het lijkt me toch het beste als u eens nadenkt over mensen in uw directe omge-ving. Ex-geliefden, iemand met wie u ruzie heeft gehad, iemand die u misschien na een glaasje op mee naar huis genomen hebt en bij wie u valse verwachtingen hebt gewekt…'

'Ik heb met niemand ruzie. Ook niet met mijn ex. Ik heb geen kerels mee naar huis genomen.'

'Misschien een andere ex-geliefde, iemand van vroeger?'

'Mijn andere ex woont in Amerika.'

'U hebt nog wel contact met hem?'

'Nee.'

Een leeg, triest gevoel overviel me. Terwijl ik hier zat te praten, realiseerde ik me hoe stom het allemaal klonk. Natuurlijk kon de politie niets voor me doen. Ik stond op.

'Ik begrijp, meneer Wittebrood, dat ik hier aan het verkeerde adres ben. Dat ik moet wachten tot ik werkelijk verkracht of in me-kaar geslagen ben.' Ik pakte mijn jas en propte de brieven in mijn tas.

'Het spijt me echt, mevrouw Vos, dat wij niet meer voor u kun-nen betekenen. Maar u kunt ons op de hoogte houden van de brie-ven en eventuele andere kwesties die zich voordoen.'

Ik lachte. 'Ik wens u nog een fijne dag en bedankt voor uw hulp.'

'Wacht! Ik zal uw gegevens noteren. Als u nog een keer komt, hoeft u niet alles nog een keer te vertellen.'

Ik vluchtte het bureau uit. De dikke man was weg, maar zijn geur hing er nog. Buiten regende het weer. Het maakte me niets meer uit. Ik stapte op de fiets, voelde de kou door mijn katoenen jas dringen. Ik balde mijn handen tot vuisten. 'Niet huilen, niet huilen,' fluisterde ik tegen mezelf. Ik wilde geen slachtoffer zijn. De regen striemde in mijn gezicht en drong door tot op mijn rug en bovenbenen, en toch kreeg ik het steeds warmer. Ik wist nu zeker dat ik er alleen voor stond.

9

Ik fietste het Surinameplein over, de Overtoom op, drukte met al mijn kracht op de trappers en vervloekte de stad. De chaos van het verkeer, auto's die het fietspad blokkeerden, voetgangers die met stalen gezichten en gevaar voor eigen leven overstaken, al die obstakels die me hinderden. Ik wilde doorfietsen, de verzuring in mijn benen voelen.

Wanneer ik fietste, kon ik het beste nadenken. Was ik in staat me te verdiepen in de grote vragen waarvoor ik mezelf steeds weer gesteld zag. Al fietsend had ik besloten mijn zwangerschap te beëindigen. En een einde te maken aan mijn relatie met Geert. Alleen op de fiets durfde ik te denken aan mijn dode ouders. Kon ik de juiste afstand bewaren tot nare herinneringen en pijnlijke gevoelens.

Ik stuurde het Vondelpark in, waar het niet bepaald rustiger was, ondanks het hondenweer. Ik bedacht dat ik bang was om naar huis te gaan. En hoe absurd het was dat hij me dit zomaar aan kon doen.

Dat de politie niets kon ondernemen tegen dit soort gekken, behalve wanneer het te laat was. Doorgaans blijft het bij dreigementen, had de agent min of meer gezegd. Doorgaans, ja. Stel dat ik de uitzondering op de regel was? In gedachten verzonken fietste ik tegen een skater op, en terwijl ik me onhandig en geschrokken verontschuldigde, schold hij me uit voor vuile stoephoer en kankerwijf. Hij trapte tegen mijn fiets en had me geslagen als ik er niet als een speer vandoor was gegaan. Wat bezielde iedereen?

Ik fietste opgefokt door en negeerde de steken in mijn zij. Misschien moest ik maar weggaan uit Amsterdam. Mijn huis verkopen en in een dorp gaan wonen, waar de mensen elkaar niet om het minste of geringste uitscholden en waar een psychopathische gek niet in de anonimiteit kon verdwijnen. Maar uit zo'n dorp was ik twaalf jaar geleden niet voor niets gevlucht.

Ik werd in mijn overpeinzingen gestoord door het geluid van een aanlopende fiets, zo'n honderd meter achter me. Een ketting tikte tegen de kast en aan het getik te horen, fietste deze persoon harder dan ik. Ik begon harder te trappen en deed wat ik altijd automatisch deed als het paranoïde gevoel me bekroop dat ik gevolgd werd: versnellen. Ik had er een hekel aan om ingehaald te worden. De persoon achter me versnelde ook, en ineens realiseerde ik me dat hij me werkelijk achternazat. Angst verlamde mijn spieren en mijn keel verkrampte zó dat ik nauwelijks nog kon ademhalen. Ik werd achtervolgd. Ik wist het zeker. Ik trapte harder en harder, hijgend en piepend als een astmapatiënt, mijn hart pompte als een razende mijn bloed door mijn lichaam en mijn ogen zochten naar mensen die ik kon aanklampen om me te helpen, te redden, maar het park leek ineens leeg en verlaten.

Ik viel om toen iemand een grote, sterke hand in mijn nek legde. Zijn zware, kruidige aftershave, gecombineerd met een bekende kokosgeur, prikkelde mijn neus zo heftig dat ik moest niezen.

Met een doffe klap lag ik op het natte asfalt. Even voelde ik de neiging weg te rennen, de bosjes in, en ik deinsde terug toen hij me overeind wilde helpen. Mijn broek was gescheurd en mijn knie klopte pijnlijk. Ik keek op en zag het gezicht van Steve.

'Jezus! Ik schrik me helemaal...' Ik hees mezelf op en veegde de modder van mijn kleren.

Steve was een en al stralende lach. 'Sorry, hoor! Ik wilde je niet laten schrikken, *baby*!' Hij hikte van het lachen.

Daar stond ik in het Vondelpark, verregend, mijn haren tegen mijn gezicht geplakt, mascara waarschijnlijk op mijn kin, tegenover een bulderende, kale neger. Zijn gladde schedel vol druppeltjes, zijn bril beslagen. Steve was geen dag ouder geworden en hij liep toch al tegen de veertig. Hij droeg een kaki regenjas, een grijs pak en keurige, glanzend gepoetste Italiaanse veterschoenen. Hij was nog steeds de Steve zoals ik hem had gekend. IJdel en zelfingenomen, dol op pakken, zijden sjaaltjes en gesteven witte overhemden. De Steve die zichzelf op het obsessieve af verzorgde met zalfjes en lotionnetjes en lekkere luchtjes. 'Je lichaam is een tempel, weet je.'

Tussen het lachen door hijgde hij. '*Mán*, ik moest hard trappen, zeg! Kan niet meer fietsen, weet je! Ik zag je in de verte en ik dacht: daar gaat ze, Steve, d'r achteraan, jongen.'

En daar ging hij weer, gebogen over zijn stuur, hoofdschuddend van het lachen. Ik lachte wat bedremmeld mee en keek naar de mensen die langsliepen en -fietsten en ook spontaan begonnen te lachen. '*O mán*, je bent nog steeds een lekker meissie, weet je! Jezus, dat is lang geleden, zeg. *Come on*, we gaan wat drinken!' Hij legde zijn grote hand op de mijne en mijn wangen begonnen te gloeien.

In Vertigo was het warm, rokerig en bomvol mensen die schuilden voor de regen. Natte jassen lagen te dampen over stoelen, paraplu's werden uitgeschud, iedereen klaagde over het noodweer dat ons al wekenlang teisterde. Ik dook de dames-wc in om bij te komen van deze onverwachte confrontatie. Ik keek in de spiegel en werkte mijn mascara bij, deed wat rode lippenstift op en vervloekte mijn vermoeide gezicht. In het felle, kille tl-licht leek ik ineens op mijn moeder. Ze staarde me misprijzend aan. Ik hield mijn koude handen tegen mijn slapen en trok mijn gezicht glad. De plooi die van mijn linkerneusvleugel richting mijn kin liep, verdween. Mijn moeder had twee van die plooien gehad, links en rechts. Het kwam door gebrek aan nachtrust, dat kon niet anders.

Ik droogde mijn haren bij de handendroger, stak het weer op, haalde diep adem en liep het café in. Steve had een tafel gevonden en zat zelfverzekerd achterovergeleund rond te kijken. Toen hij mij zag, brak zijn lach weer door. Hij stond op en schoof een stoel voor me naar achteren. Ik ging verkrampt zitten. Een scherpe pijn klopte achter mijn oogkassen, de pijn van te weinig slaap en te veel drank.

Steve schoof een dampende dubbele espresso naar me toe en grinnikte. Hij spreidde zijn armen en kreunde: 'O, het is zo goed om weer in Amsterdam te zijn, weet je. Ik heb dit echt gemist. En jou! Dat ik jou hier tegenkom! Je ziet er goed uit, weet je! Hoe is het met mijn Mereltje? Je moet me alles over haar vertellen!'

Ik probeerde zonder te trillen een slok te nemen van mijn espresso.

'Lijkt ze op mij?'

'Nee. Ze is eigenlijk het tegenovergestelde van jou. Zorgzaam en serieus. Erg op zichzelf. En ze doet het heel goed op school.'

'Heeft ze het wel eens over me?'

'Jee, Steve, wat denk je nou eigenlijk? Jij bent uit haar leven verdwenen toen ze één jaar oud was... Nee, ze praat nooit over je.'

Ik stak een sigaret op. Hij begon onmiddellijk op een overdreven manier de rook weg te wapperen met zijn grote handen.

'Hou daar toch eens mee op! Je moet goed voor jezelf zorgen! Mijn dochter is afhankelijk van je, hoor!'

Ik begon me weer ouderwets te ergeren aan hem. Alsof hij niet zes jaar, maar twee dagen weg was geweest.

'Ik kan wel merken dat je uit Amerika komt. Wat brengt jou weer terug naar ons middelmatige landje?'

Steve gooide zijn handen in de lucht en begon luidruchtig te praten. 'Ik kon het niet meer *hándelen* in New York. De muziekwereld daar is vergiftigd, weet je. Drugs, geld, *weird people*. Niet relaxed. Ik speelde in een band, een goede band, echt professionele lui, maar we speelden zes nachten per week vijf sessies. En daarna moesten we met de pet rond. Hadden we de complete zaal op tafel, haalden we zeshonderd dollar op met z'n zessen. *Mán*, dat was niet te doen! Leven is duur daar, weet je. En die jongens, één voor één gingen ze aan de dope. Om het vol te houden. Ik dacht op een avond: als ik dit blijf doen, eindig ik in de goot, of met een mes in mijn body. Ik had geen *green card*, dus ik mocht niet als studiomuzikant werken. Ik dacht: Steve, jij moet terug naar je roots. Je bent nu veertig, het wordt niks meer. Geen American dream voor mij. *It's over. Wake up!*' Zijn handen belandden met een klap op tafel. Ik veerde op en begon nerveus te lachen.

'En jij? Wat heb jij allemaal uitgespookt de afgelopen jaren? Ik heb je gezien, weet je. Je was goed! Nog steeds even sexy. En je stem heeft karakter gekregen. Meer diepte. Zonde alleen dat je in zo'n kutband zit.'

'We zijn geen kutband, Steve.'

'Martin en Geert zijn in ieder geval *dickheads*.'

'Hoezo? Je kent ze niet eens!'

'En of ik die Martin ken! Hij moet mij niet omdat-ie bang is dat ik muzikanten bij hem weg kom halen. Hij schijt in zijn broek nu ik weer terug ben. Ik ben naar Minerva gekomen om naar jullie meisjes te kijken. Ellen had me gevraagd. Ze wil in mijn band, weet je. Ik wilde na jullie show even langsgaan, gewoon even dag zeggen, en toen ging Geert helemaal over de rooie! Schreeuwen, man, dat ik uit jouw buurt moest blijven! Dat ik de laatste was op wie jij zat te wachten. Hij begon te duwen en Martin vroeg of ik weg wilde gaan, anders zou hij me "laten verwijderen". Poeh! Mij laten verwijderen!'

Dit had Geert niet verteld.

'Ik wilde alleen maar even met je praten. Over Mereltje. Ik heb vaak aan haar gedacht als ik in New York alleen in mijn bed lag.'

'Jij alleen in bed. Dat zal wel. En als je zo vaak aan haar hebt gedacht, waarom heb je haar dan nooit een kaartje gestuurd?'

Steve zette zijn bril af en wreef met zijn vingers in zijn ogen. Daarna pakte hij mijn hand en aaide met zijn duim over mijn vingers. Het voelde alsof hij niet mijn hand, maar mijn buik streelde.

'Ik weet het niet. Ik had het zo druk. Het kwam er gewoon niet van. En soms dacht ik: misschien is het beter om niets van me te laten horen, dat ze me vergeet. Ik ben toch een slechte vader.'

'Ach gut.'

'Maar ik ben terug! En nu kunnen we wat afspreken. Ik wil haar heel graag zien.'

Ik bestelde een Southern Comfort, Steve een wodka-jus. Ik had behoefte aan de warme gloed van de zoete whisky, aan iets wat mijn gedachten stil zou leggen. Ik dacht aan Geert, die me niets had verteld over zijn ruzie met Steve. Ondertussen praatte die vrolijk door over New York en dat hij Roberta Flack had ontmoet. Hij vroeg nogmaals of hij Merel kon zien, maar ik hield de boot af. Ik wilde niet dat mijn dochter nog een keer door haar vader verlaten werd. Wat onherroepelijk zou gebeuren. Met Steve viel geen afspraak te maken, tenzij het ging om zijn carrière of om seks. En ik had het vermoeden dat hij meer op het laatste uit was dan op een nieuwe kans als vader.

De whisky hielp me niet te ontspannen. Integendeel. Ik voelde me van alle kanten bedreigd. Iedere man in het café leek verdacht. Iemand hield me in de gaten, observeerde me, broedde op plannen om me af te maken. Ik keek naar Steve, hoe hij druk gebarend over zijn leven in New York vertelde, en bedacht dat het wel erg toevallig was dat hij juist op dit moment weer in mijn leven opdook.

10

Mijn huis was een puinhoop, al had Geert het dan op zijn manier opgeruimd. De vuile vaat van dagen stond keurig opgestapeld op het aanrecht, de speelhoek lag vol met kleurpotloden, half afgemaakte tekeningen, lego en de My Little Pony's van Merel. Keukenkastjes stonden open, de gordijnen waren nog dicht en het stonk naar zure melk en verschaald bier.

'Wat is het hier toch altijd een klerezooi,' mompelde ik en ik wist niet meer waar ik moest beginnen, wat ik moest doen, in welke volgorde ik moest handelen. Ik was moe en opgejaagd, wilde slapen en puinruimen, de gordijnen opengooien en dichthouden. Vluchten en vechten. Het was te veel, er was te veel aan de hand. Ik stond tot mijn enkels in de troep en ik moest mijn kinderen beschermen. Het regende, ik had niks in huis en was bang om boodschappen te doen.

Ik liep naar de achterdeur en schoof de gordijnen opzij. Keek naar een krat bier, twee kapotte kinderfietsjes, een oude buggy, twee dozen vol lege flessen en de zwartgeblakerde vuurkorf. Daarna hief ik mijn hoofd richting de balkonnetjes en de ramen van de achterliggende huizen. Een buurman draaide keihard de Red Hot Chili Peppers. Hij liep naakt langs zijn raam, handdoek om zijn schouders, en liet zijn luxaflex zakken. Vroeger kon ik uren zo staan, sigaretje erbij, glaasje wijn, en kijken naar mijn buren, die zich onbespied waanden. Nu realiseerde ik me dat anderen ook zo naar mij keken. Dat mijn leven onder de loep lag.

Opruimen. Dat moest ik doen. Alles op een rijtje zetten. Orde aanbrengen in mijn huis en hoofd. Ik gooide de ramen open, trok mijn pantoffels aan en zette Ann Peebles op. *I can't stand the rain, against my window, bringin' back sweet memories…*

Ik pakte een emmer en zette hem onder de kraan. Spoot een flinke scheut allesreiniger in het hete water en dompelde mijn handen in het hete sop. Het aanrechtblad, de naden van de kastjes, het fornuis, de afzuigkap, ik schrobde en boende alle koffie- en vetvlekken weg, rukte een rol vuilniszakken uit de kast, trok een zak los en begon wat ik op de grond vond, erin te gooien. Stiften zonder dop, volgekraste kleurplaten, oude kranten en tijdschriften, poppetjes zonder ledematen, autootjes zonder wielen, kapotte haarspeldjes, bierdoppen, doppen van pistachenootjes, een beschimmelde sinaasappel, eierdozen, enkele handschoenen en sokken, lege sigarettenpakjes.

Vier vuilniszakken vulde ik met rommel terwijl ik meeblèrde met de muziek. Langzaam werd ik steeds kwader. Ik zou me verdomme niet weg laten jagen. Me niet alles laten ontnemen waar ik om gaf. Mijn vrijheid opgeven omdat het iemand niet beviel hoe ik leefde. Ik stroopte mijn mouwen op, vulde de emmer opnieuw met sop, wrong de dweil uit en boende op mijn knieën de vloer.

Steve mocht Merel zien, maar een bezoekregeling kon hij vergeten. Hij kon niet zomaar in en uit haar leven stappen. Hij was haar vader, maar alleen in biologische zin. Ik spoot een flinke scheut bleekmiddel in de gootsteen en snoof de zwembadlucht op. Alsof ook mijn hoofd gereinigd werd door de chemische geuren. Mijn handen waren inmiddels ribbelig van het warme water. Driftig schuurde ik bruine aanslag uit de gootsteen, van de kraan, en poetste de voegen tot ze weer wit waren. Toen ik rechtop ging staan en drie stappen naar achteren deed om het resultaat van mijn gezwoeg te overzien, werd ik draaierig. Ik wankelde en kon nog net op tijd een stoel bereiken.

Ik ging zitten en steunde met mijn hoofd op mijn handen. Even twijfelde ik aan mijn verstand. Was ík misschien gek? Gebeurde dit allemaal wel echt? Of werd ik net zoals mijn moeder, die er vroeger van overtuigd was dat mijn vader haar wilde vermoorden? Ineens twijfelde ik aan alles. Wat had de psychiater destijds tegen mijn vader gezegd, nadat mijn moeder was opgenomen? 'Uw vrouw verkeert werkelijk in doodsangst. Wij zien haar psychose als een waan, maar voor haar zijn die waanbeelden levensecht. Het heeft geen zin om ertegenin te gaan, daarmee kunt u haar niet geruststellen.'

Ik wilde niet gek worden. Ik werd niet gek. Wat er met me gebeurde, was levensecht. Geert had het gezien, die agent had het gezien. Ik moest gewoon even goed slapen, dan zou ik me stukken beter voelen.

Ik schrok wakker van gemorrel aan de deur. Iemand riep me. Het was inmiddels donker, de regen kletterde tegen de ruiten.

'Mam, mam, doe eindelijk eens open. We kunnen er niet in!' Ik sprong op, deed het licht aan en schoof de knip van de voordeur. Ik kon me niet herinneren de knip dichtgedaan te hebben. Merel en Wolf stoven naar binnen en gooiden hun modderige laarzen onder de kapstok. Rini, mijn buurvrouw, kwam achter hen aan. Ze veegde haar voeten en keek glimlachend rond.

'Zo, je bent flink tekeergegaan!' zei ze, terwijl ze haar jas uittrok. 'Meid, die kinderen waren bezig! Ik zei al tegen Guus: het gaat zeker stormen!'

Ze ratelde door terwijl ze mijn keuken in liep en een stoel pakte.

'Wijntje?' vroeg ik, in de hoop dat ze zou weigeren.

'Nou, eentje dan. Ik moet zo naar yoga. Mag ik?' Ze wees naar mijn pakje sigaretten en haalde er een uit. 'Sorry, hoor, je krijgt binnenkort een pakje van mij. Maar ik moet af en toe even smokkelen.'

Zij en haar man Guus waren samen met roken gestopt, al drie maanden, en stonden elkaar inmiddels naar het leven.

'Zeg, jij vertelt mij ook nooit wat…' Ze keek me schalks aan, schudde haar hoofd en nam een diepe haal van haar sigaret. Krachtig blies ze de rook weer uit, als een boze juf, wachtend op een verklaring.

'Hoe bedoel je?'

'Nou. Dat Geert weg is, bijvoorbeeld.'

Ik verwijderde het lood van de fles rode wijn en schroefde de kurkentrekker in de kurk. Rini observeerde me, hunkerend naar een nieuwtje.

'Ik heb nog niet de kans gehad… Het is zo hectisch geweest en ik had even geen zin om er met iemand over te praten.'

'Kind, wat erg voor je. En de kindjes. Ze waren er helemaal mee aan. Merel vertelde het. Zo plompverloren…'

Ze leunde achterover, klaar voor het hele verhaal.

'Rini, ik wil er nog niet over praten.'

'Heeft hij een ander?'

Ze zou me niet met rust laten. Ze had haar klauwen in me geslagen en zou niet rusten voordat ik ten minste één sappig detail los zou laten. Dat was toch wel het minste wat ik haar kon geven, in ruil voor het oppassen.

'Nee, dat is het niet. Het is heel gecompliceerd. Het ging gewoon niet meer tussen ons.'

De kinderen renden de trap af, Wolf sprong op mijn schoot en Merel sloeg haar armen om mijn nek. 'Lieve, lieve mama…' Wolf kuste me wel tien keer op mijn wang en keek me met zijn zoetste uitdrukking aan. 'Mogen we chips bij de tv?'

'Vooruit. Pak maar uit de kast. Maar niet op mijn bed knoeien, hè?'

Rini wachtte tot de kinderen helemaal buiten gehoorafstand waren en vervolgde haar verhoor.

'Hoezo? Wat ging er dan niet meer?'

'Nou, je weet toch hoe die dingen gaan… We maakten alleen nog maar ruzie en ik had steeds meer het gevoel dat ik er alleen voor stond. Dat hij meer in de weg liep dan dat ik wat aan hem had. Het was gewoon op.' De rest ging haar geen ene moer aan.

'Ben je soms aan het rommelen?'

'Nee, hoe kom je daar nou bij?'

'Het gaat me natuurlijk niks aan, hoor, maar laatst stond er een kerel voor de deur, die beweerde je zwager te zijn...'

Mijn zwager? Martin? Ik had hem al maanden niet gezien. Wat moest hij hier? Ik herinnerde me vaag een berichtje van hem op mijn voicemail, een paar weken geleden. Hij had met me willen praten. Ik had gedacht: het zal wel over geld gaan – dat regelde Martin omdat hij mijn accountant was – die belt nog wel een keer.

'Heb je hem gesproken?'

'Ja. Jij was er niet en ik liep toevallig langs. Hij zat op je stoep. Ik vroeg of ik hem kon helpen en hij zei dat hij op jou wachtte, dat hij je zwager was. Hij deed een beetje vreemd. Ik zei nog dat je waarschijnlijk laat thuis zou komen. Even later was hij weg.'

'Hoezo vreemd? Hoe deed hij dan?'

'Gewoon, raar. Heel nerveus. Schichtig. Hij vroeg of ik hem binnen kon laten, zei dat hij de sleutel vergeten had, dat jij het geen punt zou vinden. Ik zei: ja, dag, ik kijk wel lekker uit. Daar begin ik niet aan, hoor. Iedereen kan wel zeggen dat hij jouw zwager is.'

Ik begreep er niks van. Wat moest hij van mij? Waarom had hij geen briefje achtergelaten, of even gebeld?

Rini had gelijk, ik wist niet eens zeker of deze man mijn zwager wel was. Martin was geen nerveus type, en zou nooit zomaar bij me op de stoep staan. Hij zou zeker niet zijn kostbare tijd verdoen door op me te gaan zitten wachten. Tenzij er iets aan de hand was, maar dan had ik het wel gehoord.

'Ja, Maria, ze staan in rijen van tien op je stoep, die kerels.'

Rini lachte en schonk ons allebei nog wat wijn in. 'Dat heb ik nou nooit. Nou, meid, vertel, en wie is die neger die jou vanmiddag thuisbracht?'

'Dat is Merels vader, Steve.'

'Néé! Is die weer onder zijn steen vandaan gekropen? Goh. En nu? Hij wil toch niet ineens voogdij of zo?'

'Nee. Dat kan helemaal niet. Hij heeft haar nooit erkend. Maar hij wil haar wel zien...'

'Kind! Dat arme grietje. Ze denken zomaar haar leven in en uit te kunnen lopen. Klootzakken zijn het, echt hoor, al die kerels. Die van mij ook, hoor, net zo goed. Wat hij vandaag weer flikte…'

Zo eindigde Rini bij haar favoriete onderwerp, haar echtgenoot, Guus de Lul. Ze rookte vijf sigaretten en dronk de hele fles wijn leeg, waarna ze zwalkend naar yoga vertrok. Toen ze weg was, bestelde ik twee pizza's, die ik met de kinderen voor de televisie in bed opat. We keken *America's Funniest Home Videos* en *Idols*. Merel zei dat ik daar ook aan mee moest doen. Dan zou ik beroemd worden en rijk. Ze vielen naast me in slaap, met de pizzadozen nog op schoot. Ik sloop uit de slaapkamer om nog één borrel te drinken en een sigaret te roken. Beneden controleerde ik de ramen, deed de gordijnen dicht en draaide de deuren op slot. Ik liet alle lichten branden. En nog voelde ik me onveilig. Ik was werkelijk alleen. Voor het eerst in lange tijd verlangde ik naar een moeder, die ik kon bellen en die me gerust zou stellen.

Mijn voeten veranderden in ijsklompen en mijn handen werden stijf van de kou terwijl ik door het keukenraam naar de straat stond te kijken. Ik durfde niet te gaan slapen. Ik kon mijn zus bellen. Ik moest mijn zus bellen. Maar er stond zoveel tussen ons in, we zaten allebei zo vastgeroest in onze rollen dat ik wist dat een telefoongesprek met haar me alleen maar nog eenzamer zou laten voelen. Morgen zou ik het doen. Vragen wat Martin op zijn lever had. Nu moest ik slapen. Hoe dan ook. Ik pakte een oude golfstick, die ik ooit van Geert had gekregen om mezelf te beschermen tegen inbrekers, achter de kapstok vandaan en liep naar boven.

II

Ik had een vreemde droom. Mijn moeder zat naast mijn bed en glimlachte, lief en zacht. Ze legde haar warme, droge hand op mijn voorhoofd, streelde mijn haren, streek de strengen haar uit mijn gezicht en pakte mijn hand. 'Lieverd,' zei ze, 'wat heb je mooie kinderen.' Er lag een baby op mijn buik. Hij sliep en sabbelde op zijn knuistje. Mijn moeder boog zich over ons heen om zijn hoofdje te kunnen zien en aaide hem heel zachtjes met haar vinger.

'Mag ik hem even vasthouden?' vroeg ze me, maar dat liet ik niet toe.

Ik klemde het kindje tegen me aan, mijn handen beschermend om zijn zachte lijfje. 'Dat kan toch niet,' huilde ik. 'Ik kan jou toch niet mijn kind meegeven? Dit is het enige wat ik heb. Dit is mijn familie. Jij maakt alles stuk.'

Ze pakte mijn baby toch en ik had geen kracht, ik kon haar niet tegenhouden. Ik lag verlamd in mijn bed en zij rukte de baby uit mijn handen. Ik keek naar beneden, naar mijn buik, en die lag open. Ze had mijn kind en mijn hart uit mijn lichaam gescheurd en liep ermee weg. Ik wilde schreeuwen, maar er kwam geen geluid. Warm bloed gutste uit mijn buik, over mijn benen.

Wolfs gehuil maakte me wakker. Hij had in bed geplast.

'Ik kon er echt niets aan doen, mam, ik werd wakker en toen was het al gebeurd!'

'Het geeft niets, mannetje, het geeft niets,' troostte ik, terwijl ik hem vasthield en mijn wang tegen zijn zachte wang wreef.

'Mam, je knijpt me!' Hij wurmde zich uit mijn omhelzing en stapte uit bed. Ik liep achter hem aan. Mijn hoofd was zwaar, alsof er geen hersens, maar keien onder mijn schedel tegen mijn ogen drukten. Mijn buik voelde nog hol, pijnlijk en leeg.

Wolf liep slaapdronken de donkere gang op. Had ik niet alle lichten aan gelaten? Een onrustig, angstig gevoel beet zich vast in mijn maag. 'Wolf!' riep ik paniekerig. 'Wolf, wacht! Blijf hier! Ík pak wel een schoon laken en een pyjama.'

Van schrik begon hij nog harder te huilen.

Merel werd ook wakker. 'Koppen dicht!' mopperde ze en ze draaide zich om. Toen ze de natte plek naast haar voelde, sprong ze vloekend uit bed.

'Je moet niet zo boos zijn, kut-Merel!' krijste Wolf. 'Ik kan er niets aan doen, hoor!'

'Je bent gewoon een baby, Wolf. Dat je nog in je bed piest! Gadverdamme!'

Ik pakte ze allebei bij de hand. 'Laten we nu geen ruzie maken. Jullie gaan eventjes hier zitten en ik pak schone lakens. Kunnen we zo weer verder slapen.'

Merel rukte zich los. 'Ik ga gewoon naar mijn eigen bed!'

'Nee! Hier blijven!' Ik greep haar krachtig bij de schouder.

Merel wreef in haar ogen en keek me met haar bekende minachtende blik aan. 'Doe effe normaal!'

Ik hield haar vast, bijna panisch. Er kon niemand op de gang zijn. Er was waarschijnlijk niets aan de hand. Maar ik durfde haar niet los te laten. We moesten bij elkaar blijven. 'Alsjeblieft,' zei ik. 'Merel, Wolf, ik ben een beetje verdrietig. Laten we lekker samen het bed verschonen en samen gaan slapen. Dat vind ik zo gezellig…' Wolf pakte met een serieus gezichtje mijn hand en zei: 'Oké, mam.' Merel ging peinzend op bed zitten.

Ik liep de gang op met een razend hart, pakte het beddengoed en een schone pyjama uit de kast. Ik probeerde me te herinneren of ik de lichten nou aan had gelaten of uit had gedaan. Toen ik het bed had verschoond en we alle drie zwijgend maar wakker weer in bed lagen, drong het tot me door dat dit zo niet kon. Ik mocht me niet zo laten meeslepen door mijn angst. Zeker niet waar de kinderen bij waren. Misschien moesten we wel weg. Een tijdje bij iemand logeren. Maar waar konden we dan naartoe? En mijn werk, hoe moest dat dan? Zonder werk verdiende ik geen geld. Mijn erfenis zat in dit huis, daar kon ik geen brood van kopen…

Het was beter om nog maar even af te wachten. Misschien hield deze bizarre toestand wel ineens op. Was het een zieke grap en had die persoon nu weer een ander doelwit gevonden. Ik sloot mijn ogen en krulde me rond Wolfs warme lijf. Weer zag ik mijn moeders gezicht, hoe ze me liefdevol aankeek. Ik kon me niet herinneren dat ze ooit zo naar me had gekeken.

We werden wakker van de deurbel. Buiten was het nog donker, dus het moest nog erg vroeg zijn. Er werd nog een keer op de bel gedrukt en ik haastte me naar beneden. Halverwege de trap realiseerde ik me dat het wel vreemd was dat er zo vroeg iemand voor mijn deur stond. Ik sloop naar beneden, de keuken in, en schoof voorzichtig het gordijn van mijn keukenraam een klein stukje open. Op de stoep stond een man in een donker pak, zijn gezicht verstopt onder een grote zwarte paraplu. Echt iets voor Steve, om midden in de nacht voor de deur te staan, dacht ik nog, tot ik de grote, zwarte Mercedes achter hem zag staan. Dit was een bekend beeld. De man in het zwart en zijn rouwwagen.

Ze kwamen iemand halen. Ze stonden voor de verkeerde deur. Ik moest wel opendoen om hem het juiste adres aan te wijzen. Maar ik kende niet zo veel mensen in mijn straat.

Boven riep Merel.

'Mam, wat is dat? Wie is er?' Ik hoorde haar blote voetjes op de trap.

'Niemand, schat, blijf maar boven, mama komt zo weer. Ga maar lekker slapen.'

De man leek te schrikken van mij toen ik de deur openzwaaide. 'Goedemorgen, mevrouw, mag ik me even voorstellen. Ik ben Gerard de Korte. Gecondoleerd met uw…' Hij stak zijn hand naar me uit.

'Ik denk dat u verkeerd bent, meneer. Er is hier niemand dood. Misschien kan ik u helpen?'

De man leek in elkaar te duiken onder zijn zwarte hoed. Druppels vielen van zijn paraplu terwijl ik in mijn ochtendjas stond te bibberen van de kou. 'Tja. Dit is toch de Vondelkerkstraat 13? Bent u mevrouw Maria Sophia Vos?'

'Ja, dat ben ik…'

Ik wreef mijn verkleumde handen tegen elkaar en voelde dat het weer helemaal mis was.

'Mag ik misschien even binnenkomen?'

Ik stapte opzij en liet de man binnen. Hij vouwde zijn paraplu op, schudde het water eraf en zette hem druipend tegen de buitenmuur. Hoofdschuddend kwam hij me achterna, de keuken in.

'Ik begrijp het niet,' zei hij zacht, 'het spijt me heel erg, maar we hebben een melding gekregen dat mevrouw Maria Sophia Vos op dit adres zou zijn overleden.'

Mijn benen tintelden van de kou. De man, met zijn strak achterovergekamde, grijze haren en zijn veel te grote bril, zat onbeholpen tegenover me. Hij had geen draaiboek voor doden die toch nog bleken te leven.

De bel ging weer. De man excuseerde zich en stond op om de deur te openen voor een mollige vrouw, ook in het zwart gekleed, met een koffertje in haar rechterhand. Ik hoorde haar geschokt reageren en samen liepen ze mijn keuken weer in. De vrouw legde haar hand op mijn schouder. 'Het spijt me verschrikkelijk van dit misverstand, mevrouw Vos. Ik ben Nelly de Wijn. Mag ik even van uw telefoon gebruikmaken?' vroeg ze zalvend.

Rini stormde binnen, helemaal over haar toeren. Ze spreidde haar armen in de lucht en riep: 'O nee, o nee!' Haar angstige kreten zetten me weer met beide benen op de grond.

'Er is niemand dood, Rini, dit is een misselijke grap. Of een fout. Dat kan ook nog. Dat iemand zich vergist heeft…'

Inmiddels stonden ook de kinderen in hun pyjama's in de keuken, Wolf met zijn knuffelkonijn voor zijn neus, verscholen achter Merel. Rini liep naar ze toe en troonde ze weer mee naar boven.

Gerard de Korte pakte een notitieblok uit zijn zwarte tas. Hij durfde me nauwelijks aan te kijken en sloeg zijn blok open. 'Wij zijn gebeld door waarnemend huisarts dokter Van der Horst, om 5.30 uur, dat u zou zijn overleden. Hij neemt waar voor dokter Zwaanswijk. Is dat uw huisarts?'

Ik knikte. 'Maar ik ken geen Van der Horst.'

'Mijn collega is dat nu aan het uitzoeken. U bent wel geboren op 15 april 1971 te Bergen?'

'Ja.'

'En uw moeder is Petra Vos?'

'Ja. Maar ze is overleden toen ik zeventien was.'

'Hmmm. Dokter Van der Horst zei dat hij belde namens mevrouw Petra Vos, uw moeder.'

'Hij? Dokter Van der Horst is een hij?'

De Korte keek naar zijn collega. Die schudde haar hoofd. 'Dat moet ik nog even met de telefoniste opnemen. Dat kan ik niet met zekerheid zeggen…'

Ik probeerde een sigaret op te steken, maar mijn hand beefde zo hevig, dat ik geen vlam uit mijn aansteker kreeg. De Korte haalde een gouden aansteker uit zijn jaszak en hield een bescheiden vlammetje voor mijn gezicht. Ik bood aan koffie te zetten en hij zei daar wel behoefte aan te hebben. Ik wilde bewegen, iets doen met mijn handen, me concentreren op het tellen van schepjes koffie.

'Ik heb hier een 06-nummer van dokter Van der Horst. Normaal gesproken bellen we de nummers die we krijgen allemaal terug ter controle. Hier staat dat de lijn voortdurend bezet was. En de doktersdienst was ook moeilijk bereikbaar.'

Mevrouw De Wijn liep de keuken weer binnen en zette mijn telefoon terug. Rini kwam ook naar beneden. 'Kind, hoe kan dit nou? Ik schrok me lam, echt, ik dacht dat iemand van jullie dood was.' Ze pakte een dweiltje en spoelde het uit onder de kraan. Daarna begon ze fanatiek het aanrecht af te nemen. 'Nou, ga maar zitten, ik regel die koffie wel.' Ze duwde me richting de twee zwarte kraaien, die met gevouwen handen aan mijn tafel zaten.

'Mevrouw Vos, het lijkt erop dat iemand een verschrikkelijke grap met u heeft willen uithalen,' begon Nelly de Wijn. 'Ik heb gebeld met de meldkamer en dokter Van der Horst blijkt niet te bestaan. En de telefoniste wist bijna zeker dat het een man was die ze aan de telefoon heeft gehad…'

De Korte ging verder: 'Het spijt ons zeer. We hebben dit nog nooit meegemaakt. Ik moet u bekennen dat we een fout hebben gemaakt. Blijkbaar hebben we de melding niet goed gecheckt. Normaliter wachten we op een akte van overlijden. Mevrouw De Wijn, waarom is dat nu niet gebeurd?' Rini zette vier mokken dampende koffie neer. Een kannetje koffiemelk, een schaaltje suikerklontjes.

'De arts beweerde die al gefaxt te hebben. Ik snap er niets van. Onze telefoniste zei dat de arts had verzocht om zo snel mogelijk naar dit adres te komen, omdat de moeder van de overledene vreselijk overstuur was. Wij zijn beter toegerust om de nabestaanden op te vangen dan een huisarts…'

'Welke doodsoorzaak heeft deze zogenaamde arts opgegeven?' vroeg ik aan De Korte.

'Een hartstilstand. U zou een hartpatiënt zijn…'

'Jezus.' Rini pakte een sigaret uit mijn pakje. De Korte hield zijn gouden aansteker alweer paraat. 'Wat heb je toch een idioten. Waarom zou iemand zoiets doen?'

Mevrouw De Wijn stond op, haar collega volgde haar voorbeeld. Ze stak haar hand uit, bedankte voor de koffie en drong erop aan dat ik de politie moest bellen. Ook zij zouden hier melding van maken. De Korte overhandigde me zijn kaartje en samen vertrokken ze.

Hij kwam dichterbij. Hij wilde dat ik het voelde, zijn aanwezigheid, zijn haat, zijn macht. Ik moest nadenken. Het was begonnen met mijn abortus. Wie was daar kwaad over? Geert. Wie wist er nog meer van? Mijn huisarts. Had hij een reden om mij te bedreigen? Nee. Was het toeval dat dit alles gebeurde sinds Steve weer hier was? Misschien. Had hij een reden om mij dit aan te doen? Volgens mij niet.

12

Rini kleedde de kinderen aan en gaf ze een boterham, terwijl ik mijn herinneringen afgraasde op zoek naar een aanwijzing, een bewijs. De angst zat als een strik om mijn hart en vertroebelde mijn hoofd. Ik schrok van Rini's handen op mijn schouders.

'Luister. We gaan nu de politie bellen, vind je niet?'

Ik schudde mijn hoofd. 'Ik weet het niet. Daar ben ik al geweest. Ze kunnen niks doen tegen dit soort dingen.'

'Hoezo, daar ben je geweest? Is er nog meer gebeurd?'

Ik vertelde haar van de brieven, van mijn abortus, van de foto's, ik vertelde maar door, het maakte me niet meer uit wat ze ervan zou denken.

'God, maar dit is echt verschrikkelijk!' Ze sloeg haar hand voor haar mond. 'De politie moet dit weten. Al kunnen ze niks doen, ze moeten alles weten. En jij moet je sloten laten vervangen, en je telefoonnummer veranderen! Kun je niet een tijdje weg?'

'Heb ik aan zitten denken. Maar waarheen? En ik moet ook werken, ik moet geld verdienen, anders wordt het helemaal een soepzooi.'

'Je kunt niet meer optreden. Op het podium ben je vogelvrij, die vent kan zo tussen het publiek staan…'

'Moet ik hem dan zijn zin geven? Stoppen met wat ik het liefste doe?'

'Ja, Maria. Er zit niks anders op. Je bent moeder van twee kinderen… Je kunt het je niet permitteren de held uit te hangen. En dat geld… Je verdient toch genoeg met stemmetjes voor commercials? Ga gewoon een tijdje naar je zus.'

'Alsjeblieft, zeg. En de kinderen dan? Die moeten naar school… Hoe lang moet ik dan wegblijven? Denk je dat hij zomaar weer uit mijn leven verdwijnt?'

'Het gaat nu om jouw veiligheid en die van de kinderen. Dat is jouw verantwoordelijkheid. Jij bent de enige die ze hebben. God, je moet er toch niet aan denken wat er gebeurt als jij… Waar zouden ze dan heen moeten?'

Die gedachte had ik nog niet toe durven laten. Wat er zou gebeuren als hij me werkelijk te pakken zou krijgen. Ik had niks voor ze geregeld. Hun vaders? Dat zou een ramp zijn.

'Als ik doodga, gaan ze naar mijn zus, denk ik…'

Ik zou sterven en mijn kinderen in de steek laten zonder iets voor ze achter te laten, behalve twee achterlijke vaders en een tante die ze nauwelijks kenden. Hoe was het mogelijk dat ik daar nooit eerder serieus over na had gedacht? Dat ik zomaar wat aan leefde. Het was een ondraaglijke gedachte om hen als wezen achter te laten. Ik hapte naar adem alsof iemand me zojuist in mijn maag had getrapt. Rini sloeg haar arm om me heen. 'Dat gebeurt niet, meid, zover laten we het niet komen, hoor je?'

Telefonisch meldde Wittebrood dat hij niets voor me kon doen, behalve een notitie maken van wat er gebeurd was. 'Mevrouw Vos, ik ben bang dat u te maken hebt met een zeer macabere grapjas,' zei hij. Hij zou het met zijn chef bespreken, maar hij wist ook niet goed hoe ze dit het beste konden aanpakken. 'Er is nog steeds geen sprake van een echt dreigement en dan kunnen we hier geen prioriteit aan geven.'

Ik begon te snikken en Wittebrood wist niet wat hij met me aan moest. 'Het spijt me heel erg, mevrouw, dat ik u niets meer kan bieden. Als u nu wist wie u dit aandeed, dan konden we met hem gaan praten, of hem een straatverbod opleggen. Het is heel vervelend maar er bestaat op dit gebied nog weinig wetgeving. Het lijkt erop dat de persoon die u pest, erg slim is. Hij weet precies tot hoever hij kan gaan. Hij heeft overtuigingskracht, dat blijkt wel uit de manier waarop hij Remember Uitvaartverzorging heeft kunnen overtuigen naar uw huis te komen. Huurt u uw huis?'

'Wat heeft dat ermee te maken? Nee, ik heb het gekocht.'

'Soms gaan huiseigenaren erg ver om huurders uit hun panden te jagen. Of buren. Kunt u goed met de andere straatbewoners overweg?'

'U bedoelt dat iemand mij uit mijn huis probeert te verjagen?'

'Het komt voor, helaas. Ik denk echter dat u het moet zoeken in de relatiesfeer. Of zoals u zelf al aangaf, een geobsedeerde fan. U staat natuurlijk nogal in de picture als zangeres.'

Mijn gedachten dwaalden af. Mijn maag knorde. Ik had nog niets gegeten. Zou ook niet weten waar ik trek in had, maar ik moest iets naar binnen werken, want mijn hersens functioneerden niet meer. Ik beëindigde het gesprek met Wittebrood en liep naar de keuken.

Rini zat met een vragende blik aan mijn keukentafel. Ik schudde mijn hoofd.

'Ze kunnen gewoon niks doen. Ik moet eerst dood zijn, geloof ik, voordat ze een onderzoek instellen.'

Ze begon te vloeken. 'Het is toch een schande, dat dit zomaar kan!' Ik wilde dat ze wegging. Ik wilde een boterham eten en de krant lezen en daarna naar buiten, met de kinderen.

'Wij houden jullie in de gaten, hoor, Guus en ik. Het komt allemaal goed, echt. En over de kinderen moet je je geen zorgen maken. Wij zijn er altijd voor ze. Ook in het ergste geval. Als je wilt, dan regelen we dat.'

'Wat?'

'Nou, stel…' Ze wapperde onhandig met haar handen. 'Wij zijn bereid de voogdij te nemen. Dat we voor ze zorgen. Dan hoeven ze niet van school af, kunnen ze gewoon hier in de straat blijven wonen…'

'Zover is het nog niet. Ik wil daar niet eens over nadenken!'

'Je zal wel moeten, meid. Dat moeten we allemaal. Hoort bij het ouderschap.'

Ik moest me niet zomaar aan Rini vastklampen. Ze was mijn buurvrouw en onze kinderen speelden met elkaar, maar ze was geen vriendin en dat zou ze ook nooit worden. Ik had er nu al spijt van dat ik haar had toegelaten, dat ik haar alles had verteld, en ik wist zeker dat ze niet kon wachten om dit met haar vriendinnen te bespreken. Zo was Rini. Het type dat blind over andermans grenzen heen walste, dat op je huid ging zitten en intimiteit eiste. Ze had me gekregen waar ze me hebben wilde en het zou moeilijk zijn weer afstand te scheppen. Types als Rini kon je alleen maar van je afschrapen door vreselijke ruzie te maken.

Wat moest ik nu? Diep in mijn hart wist ik het. Weggaan. Hier was ik niet veilig. Ik kon het me niet permitteren de dreiging te negeren en gewoon door te gaan met mijn leven. Merel en Wolf hadden alleen mij. Ik moest vluchten, met hen, desnoods een leven lang. En er was maar één plek waar we ons konden verschuilen, althans voorlopig. De gedachte om met hangende pootjes terug te keren naar het huis waaraan ik zo veel nare herinneringen had, naar mijn zus, die me nog steeds zag als een dom, klein kind, vervulde me met weerzin. Maar het kon niet anders. Hoe moeizaam onze band ook was, zij was de enige die ik werkelijk kon vertrouwen.

13

Ans verdiende haar eerste zakcentje met klusjes in het pension, toen ik werd geboren. Ze had al vroeg in de gaten dat er maar één manier was om aandacht van onze ouders te krijgen: door mee te werken. Om vijf uur 's morgens opstaan om het ontbijt voor te bereiden, 's avonds voor het naar bed gaan de tafels dekken, uit school handdoeken vouwen en groenten snijden. Van Pasen tot eind september werd er non-stop gewerkt. Banden plakken, stoep vegen, doucheruimtes schrobben met bleek, servetten vouwen, bestek poetsen, broodjes bakken, bedden afhalen en opmaken, emmers vol aardappelen schillen en 's zomers in de schuur slapen, want dan werden onze kamers verhuurd aan gasten. Gasten die vakantie vierden. Mannen met lange haren en vrouwen in zwierige, blote jurken. Ze werden bruin en lachten om hun kinderen die in het warme zand speelden tot de zon was weggezakt in zee en daarna nog een ijsje toe kregen.

Mijn moeder lachte zelden. Rende nooit met ons het duin op om naar de rode zon te kijken. Ze was altijd bezig, haar handen rauw van het wassen en schrobben en schillen. Ze haatte de gasten, hippe lui uit de stad, de rennende kinderen in de gang en het zand dat ze maar niet buiten kon houden.

Voor mijn vader was het anders. Hij was opgegroeid in het pension, hij hield van de zee en het strand en de gasten aan wie hij iedere week weer dezelfde verhalen kon vertellen over gestrande Russische vrachtschepen en walvissen. Duinzicht was zijn leven en mijn moeder werd daar gek van.

Toen hij overleed, vijf jaar na mijn moeders zelfmoord, zei Ans dat ze graag in Duinzicht wilde blijven wonen. Ze hield van het strand en kon zichzelf niet voorstellen in een rijtjeshuis. Ze werkte inmiddels als maatschappelijk werkster, reed dagelijks in haar Pandaatje naar Alkmaar en zag daar al ellende genoeg. De stad hoefde niet van haar. Ze zocht een accountant om de erfenis zo eerlijk en gunstig mogelijk te regelen en kwam via via bij Martin Bijlsma terecht. Hij adviseerde haar míj uit te kopen uit Duinzicht en dus had ik, vlak na Steves vertrek, ineens drie ton tot mijn beschikking, waarvan ik mijn huisje aan de Vondelkerkstraat kocht.

Het leek allemaal goed te komen met ons, de meisjes van Duinzicht. Ans kreeg wat met Martin, ik vond Geert, we waren allebei verliefd en bevrijd van het lijden van onze ouders. Nooit waren we hechter met elkaar dan in het eerste jaar na mijn vaders dood. Zij en Martin pasten weekendjes op Merel, af en toe kwamen ze naar de stad en gingen we uit eten, ze kwamen zelfs kijken toen we op bevrijdingsdag in het Vondelpark optraden. Ik had echt het gevoel dat ik eindelijk mijn zus leerde kennen. Het voelde bijna alsof ik een vriendin had en ik kon daar kinderlijk blij over zijn. Totdat ze zich met mijn leven ging bemoeien. Terloopse opmerkingen maakte over de manier waarop ik Merel opvoedde, mijn geld verdiende en met Geert samenleefde. Toen ik haar vertelde dat ik weer zwanger was, en zij daar misprijzend op reageerde – Nee, sorry, ik kan niet blij voor jullie zijn. Je kunt één kind al niet aan. Je bent altijd 's nachts weg. Waarom moet dat nou zo nodig? Er zijn al genoeg ongelukkige kinderen op de wereld. Ik zie ze dagelijks – kregen we een knallende ruzie, waarna onze pas opgebloeide relatie bekoelde tot het oude niveau: één keer per week bellen en af en toe een beleefdheidsbezoekje. We deden allebei verschrikkelijk ons best het nooit meer ergens over te hebben.

Ik had drie grote tassen gevuld met kleren, twee met boekjes, poppen en ander speelgoed, en die samen met drie paar schoenen en drie paar laarzen, winterjassen en mijn doos met administratie achter in mijn witte, verroeste Golf geprakt. Toen belde ik naar school, om te melden dat de kinderen voor onbepaalde tijd niet konden komen. De directeur deed erg moeilijk, tot ik hem vertelde dat 'zeer bedreigende omstandigheden' mij hiertoe dwongen. Ik moest hem een politieverklaring en een verblijfadres faxen, waarnaar hij huiswerk zou opsturen. Ik vertelde de kinderen dat we een tijdje op vakantie gingen, bij tante Ans, waarop Wolf in gejoel uitbarstte en Merel mij alleen maar verwonderd en bezorgd aankeek.

'En school dan?' vroeg ze.

'Je juf stuurt huiswerk op en dat gaan we lekker thuis maken. Dus eigenlijk word ík je juf,' antwoordde ik.

Merel haalde haar schouders op en snoof. 'Nou, dat wordt dus gewoon helemaal niks.' Mokkend nam ze plaats op de achterbank, naast Wolf, die als een koning zat te stralen op zijn kinderzitje en onmiddellijk om snoep begon te zeuren.

Ik sloot de deur, draaide met trillende handen mijn sleutel om en gaf te veel gas. 'Gaan we weg voor die man die vanochtend voor de deur stond? Die dacht dat jij dood was?' Merel had haar armen over elkaar geslagen en keek streng in mijn achteruitkijkspiegel. Ik stamelde wat terug en stak voor het eerst in mijn leven in het bijzijn van mijn kinderen een sigaret op in de auto.

Eenmaal door de Wijkertunnel werd ik rustiger. Ik liet de dreiging achter en het voelde alsof er een gewicht van mijn schouders werd genomen. Andere zorgen drongen zich aan me op. Wat zou Ans van deze overval vinden? En Martin? Ik hoopte maar dat Ans niet meteen met haar belerende praatjes aan zou komen en me gewoon even de ruimte zou geven. Dat had ik nodig. Rust in mijn hoofd.

Ik draaide mijn raampje open en liet de zilte zeelucht door de auto blazen. 'Ruiken jullie het, jongens? We komen al in de buurt van het strand!'

Merel zei niks, ze zat nog steeds te mokken, Wolf riep dat het naar patat met mayonaise rook. We reden een zware regenbui tegemoet, de lucht boven Bergen was bijna zwart. Ik zette de radio aan. Ilse DeLange zong. *It's a world of hurt. Nothing works, it's a lonely little planet made of dust and dirt.*

Bergen aan Zee zag er grijs en verlaten uit. De souvenirwinkels en snackbars waren gesloten. Het waaide en het regende zout water. Duinzicht stond er eenzaam en verloren bij, boven op het duin balancerend alsof het ieder moment in zee kon storten. Ik parkeerde mijn auto en bleef zitten. Deze hele onderneming leek ineens zinloos. Mijn zus zou natuurlijk naar haar werk zijn en pas tegen de avond thuiskomen. Ze zou zich rot schrikken als ik ineens met mijn kinderen op de stoep stond om haar saaie, stille leventje met Martin te verstoren. En dan? Hoe moest ik in dit tochtige, natte, verwaarloosde gat mezelf en de kinderen zien te vermaken? Ans en ik zouden na een uur al slaande ruzie hebben.

'Mam? Blijven we nog lang in de auto zitten?' vroeg Merel.

Wolf probeerde zich kreunend en steunend uit de riemen te wurmen. 'Daar, daar is tante Ans!' riep hij. Ik keek om en zag mijn zus staan, haar lange blonde haren waaiden om haar hoofd. Ze liep gebogen op ons af, haar ochtendjas stevig dichthoudend tegen de bulderende wind.

14

Merel en Wolf renden het duin op om naar de beukende zee te kijken, en hun opgewonden stemmetjes vervlogen in het gefluit van
de wind. Ik probeerde ze naar binnen te roepen, maar ze hoorden
me al niet meer. Ans en ik kusten elkaar in de lucht nadat ze haar
verwondering had uitgeroepen over ons onverwachte bezoek.

'Laat ze maar even,' zei Ans. 'Er kan niets gebeuren. Ze komen zo
wel, als ze uitgeraasd zijn.' Maar ik kon ze niet laten gaan, ik wilde
ze zien en horen. Het gebulder van de wind en de zee klonk te dreigend, dus ik rende weer naar buiten, achter mijn kinderen aan,
schreeuwend over de golven heen, en vond ze kirrend van plezier en
gepaneerd met zand achter het huis.

O god, zand, dacht ik, en ik begon het als een bezetene van ze af
te kloppen en uit hun haren te schudden.

'Geen zand in huis!'

Ik hoorde het mijn moeder nog schreeuwen terwijl ze op ons af stormde, met die verbeten blik en een veger in haar hand waarmee ze ons van top tot teen afborstelde en soms sloeg als ze haar dag niet had.

Ans vond het niet erg, een beetje zand, als we onze schoenen maar uittrokken op de mat, en dus liepen we op onze sokken de woonkamer in, de ruimte die vijftien jaar geleden nog een eetzaal was. Ans en Martin hadden alle sporen van het pension uitgewist en van Duinzicht een strandvilla gemaakt, een waar yuppenpaleisje met veel hout, leer en linnen.

Mijn zus ging cappuccino maken, voor de kinderen warme chocolademelk, en ze stond erop dat ik in de zwarte leren kuipstoel bij de haard ging zitten. Haar stoel. Zij en Martin hadden ieder een eigen fauteuil, een eigen plaats waaraan ze zodanig gehecht waren, dat er nooit iemand anders in mocht zitten. Visite moest op de bank. Dat ik in haar stoel mocht, was een grote eer.

Ik verwonderde me over Ans. Ze leek zichzelf niet, niet de kordate, krachtige vrouw die ze normaal was. Zoals ze liep, breekbaar en gekweld, weggedoken in een oude, smoezelige duster, haar haren vet en los. Het feit dat ze niet naar haar werk was. Zo verheugd als ze had gereageerd op dit onverwachte bezoek. Ze hield normaal helemaal niet van verrassingen.

De kinderen zetten de televisie aan, en vertrouwde Cartoon Network-geluiden verdreven de gespannen stilte. Ans kwam binnen met een groot blad vol kopjes en een schaal koekjes, zette het neer op de glazen salontafel naast de haard en ging in Martins stoel zitten. Ze pakte haar cappuccino en legde haar handen om het kopje. Even sloot ze haar ogen en snoof de warme koffiegeur op. Haar gelaat was dofgeel en naast haar neus gloeide een rode pukkel. Ze zag er verwaarloosd en morsig uit.

'Zo,' zei ze. 'Geef me nu maar een sigaret.'

Er was echt iets mis. Ans rookte al jaren niet meer.

Ik reikte haar een sigaret aan en stak er zelf ook een op. Ineens durfde ik niet meer te zeggen waarom ik hier was.

'Nou, vertel. Waar heb ik jullie plotselinge bezoek aan te danken?'

Ik voelde me als een peuter op schoot bij Sinterklaas. Ik kon nog zeggen dat we ineens een dagje vrij hadden en zin hadden om de zee te zien.

Wolf sprong tussen ons in, deed een greep uit de schaal met koekjes en kroop op schoot. Wonderlijk, hoe vrij mijn kinderen zich hier gedroegen.

'Eerst vragen of je een koekje mag,' zei ik hem, en hij keek Ans smekend aan. Ze knikte glimlachend.

'We gaan hier toch logeren, mam?' Ans richtte haar blik verrast op mij.

'Aha. Nou, daar weet ik niets van, hoor.'

'Wel, mam! Zeg nou, we blijven hier toch?' Zijn kin begon te trillen en net toen hij het op een janken wilde zetten, zei mijn zus dat hij natuurlijk mocht blijven. We mochten allemaal blijven. Dat wisten we toch? Haar zusje en haar neefje en nichtje waren altijd welkom. Ze vond het juist jammer dat we niet wat vaker kwamen.

Wolf liep gerustgesteld en met zijn mond vol koek naar de televisie en Ans vroeg me fluisterend wat er in hemelsnaam aan de hand was.

'Ik ben min of meer mijn huis ontvlucht. In een soort opwelling. Ik moest weg en ik wist geen ander adres…'

'Hoezo moest je weg? Is er iets met Geert?'

'Er zit een psychopaat achter me aan. Iemand stuurt me dreigbrieven waarin de meest afschuwelijke dingen staan… Dat hij mijn schedel in wil slaan… Laatst kreeg ik een dode rat, na een optreden. En vanochtend stond er een begrafenisondernemer voor de deur om mijn lijk op te halen. Iemand had hem namens mijn moeder gebeld. Dat ik aan een hartstilstand was overleden. Daarna heb ik halsoverkop besloten te vertrekken…'

Ik wilde niet huilen, niet kwetsbaar zijn tegenover haar. Ans boog zich voorover en legde haar hand op mijn knie. 'Jeetje, Maria! Wat vreselijk. Wat moet je bang zijn! Ben je naar de politie gegaan?'

'Natuurlijk. Maar ze kunnen niets doen zolang er geen echt strafbaar feit gepleegd is… En in een stad als Amsterdam, met mijn werk, waar moeten ze beginnen? Ze zeiden dat het in negentig procent van dit soort gevallen een ex-geliefde betreft…'

'Wat vindt Geert van deze toestand?'

'We zijn uit elkaar.'

'O. Dus hij is zo'n ex-geliefde...'

'Hij heeft het er heel moeilijk mee. Maar ik kan niet geloven dat hij hier iets mee te maken heeft. Geert is een rare, maar mij bedreigen...'

'Je weet het niet, Maria, je weet het niet. Als ik één ding heb geleerd van mijn werk is het wel dat mensen tot de afschuwelijkste dingen in staat zijn wanneer ze zich afgewezen voelen...'

Ze staarde langs me heen, met een wazige, vermoeide blik. Toen ze weer begon te praten, leek het alsof ze het tegen zichzelf had. 'Je moet voorzichtig zijn. Blijf maar hier zolang het nodig is. Het huis is groot zat.'

'Hoe gaat het eigenlijk met jou?' vroeg ik. 'Gaat het wel goed met je? Je rookt weer...'

Ans dook in elkaar en wendde haar blik af richting het vuur.

'Nee, het gaat niet zo goed,' fluisterde ze schor. Ze stond op om een houtblok uit de mand te pakken. Beheerst zette ze het blok tegen de andere smeulende houtblokken. Daarna begon ze driftig met de pook te porren, tot de vlammen weer oplaaiden. Met het vegertje dat naast de haard hing, veegde ze de as weg.

'Martin is weg.' Ze grinnikte schokkerig. 'Grappig, niet? Nu zijn we allebei weer alleen.'

'Hoezo is hij weg? Heeft hij je verlaten?'

Ze ging weer zitten en sloot haar ogen. Ook zij wilde haar verdriet niet aan mij laten zien.

'Ik weet niet waar hij naartoe is. We hadden ruzie en hij is woedend vertrokken, meer dan een week geleden al. Ik probeer steeds te bellen, maar hij neemt zijn mobiel niet op...'

Ik dacht aan het verhaal van Rini, dat hij bij mij op de stoep had gezeten.

'Maar wat is er dan gebeurd?'

'Ach...' Ze streek met haar handen door haar vette haren en knipperde met haar ogen. Ze pakte een sigaret uit mijn pakje en ik gaf haar vuur. 'Het ging al een tijdje slecht tussen ons. Hij... Ik kreeg geen contact meer met hem. Hij was voor zichzelf begonnen, had de garage tot kantoor verbouwd en daar zat hij dan de hele dag.

Hij begon over kinderen. Hij wilde een echt gezin.' Er biggelde een traan over haar wang, die ze wegveegde met haar mouw.

'Ik vind het enig, hoor, om met kinderen te werken, maar om er nog een paar op de wereld te zetten… Ik heb mijn leven nu onder controle, ik ben gelukkig zo.'

'Maar er is toch niets verkeerd aan, dat hij een kind wilde?'

'Dat was niet het enige. We konden gewoon niet meer praten. Laat maar zitten verder.' Ze stond op en begon driftig de koffiekopjes op het dienblad te zetten.

'Kom op, Ans, begin nou niet weer zo, waar is hij naartoe?'

'Ik weet het niet. Ik hoop maar dat hij ergens aan het nadenken is. Ik heb de politie gebeld om te controleren of hij niet ergens een ongeluk heeft gehad. Ik denk dat hij naar Frankrijk is gereden, naar dat stomme huis van zijn ouders.'

'En zijn ouders dan? Misschien hebben zij iets van hem gehoord…'

'Hij heeft geen ouders meer. Zijn moeder is vorig jaar overleden. Toen zij overleed, wilde hij ineens een kind. Hij vond ons maar een eenzaam stel, dat zei hij.' Ze liep naar de kinderen, die als zombies voor de tv lagen.

'Vinden jullie dit leuk?' vroeg ze. Wolf haalde zijn duim uit zijn mond om te antwoorden. 'Ja joh, *Dragonball Z*. Dit is echt cool. Dat is Goku, die heeft superpower!' Merel zei dat ze er niks aan vond.

'Weet je wat? Ik heb een heel goed idee. Ik kleed me om en daarna kunnen we op het strand naar de storm gaan kijken en patat eten. Wat dachten jullie daarvan? Dan kan jullie moeder de spullen uitpakken en even bijkomen…'

Ans keek naar mij. Ik vond het best. Heerlijk zelfs. Misschien ging ik wel even slapen, ik was doodmoe. Merel wilde liever bij mij blijven, maar Wolf rende gretig achter mijn zus aan.

15

Ans' badkamer zag eruit alsof er nog nooit iemand één stap in had gezet, laat staan in had gebaderd. Nergens een tube dagcrème of een fles badschuim, geen gebruikte handdoeken en washandjes, er lag niet eens een tandenborstel.

'Wauw,' fluisterde Merel, en ze streek met haar vinger langs het ronde bad. 'Zo, dit is een mooie badkamer! Tante Ans is zeker wel héél rijk!'

'Tante Ans is vooral héél netjes,' antwoordde ik, terwijl ik naar handdoeken en badschuim zocht. We vonden wollige pastelblauwe badlakens achter een verschuifbare spiegel, waar ook alle potjes en tubetjes stonden, allemaal van hetzelfde merk. Wat zal ze het druk hebben met dit getrut, dacht ik, terwijl ik een verzilverd, opengewerkt doosje oppakte en mijn neus in de naar lavendel geurende potpourri stak. Merel draaide de badkraan open. Stoom vulde de turkooizen ruimte. We kleedden ons uit, zwijgend. Merel vouwde

79

haar kleren keurig op, geïmponeerd als ze was door de orde van mijn zus. De spiegels besloegen en ik tekende een groot hart met een pijl. Ik schreef mijn naam in het vocht en aan de andere kant die van Merel en Wolf. 'Nou mag jij wat tekenen,' zei ik tegen haar, waarop ze een keurig bloemetje maakte.

'Zo, mam, die is voor jou,' lachte ze. We voelden met onze handen of het niet te heet was en stapten in het warme, troostende water.

Merel verzamelde al het schuim, plakte het op haar gezicht en haar borstkas, maakte er borsten en een baard van en liet daarna zien hoeveel tellen ze onder water kon blijven. Ik realiseerde me dat we nog nooit zo samen in bad hadden gezeten. Zonder haast. We waren zelfs nog maar één keer op vakantie geweest. Ik was altijd met anderen bezig. Met de band, met Geert, met klussen of met bedenken waar ik de kinderen onder zou kunnen brengen.

Ik hield van ze, meer dan ik ooit van een man had gehouden, en toch kon ik het niet opbrengen me werkelijk in ze te verdiepen. Ik was te onrustig, te veel op mezelf gericht. Eigenlijk had ik het feit dat ik kinderen had, misbruikt. Als excuus voor het mislukken van mijn carrière. Ik had er nooit eerder zo over nagedacht, maar hier, in bad met mijn dochter, realiseerde ik me dit. In het café kon ik er prat op gaan dat ik alles had, leuk werk, twee kindjes, meer hoefde ik niet. Mijn gezin ging voor. Maar dat was helemaal niet zo. De muziek ging voor. Als ze ziek waren, bracht ik ze naar Rini, want het spelen met de band moest doorgaan, omdat ik nog altijd hoopte dat er ooit een keer iemand in de zaal zou zitten om mij op te pikken en groot te maken. Dit gebeurde nooit en naarmate ik ouder werd, werd de kans dat ik ooit door zou breken kleiner. Dat had niets te maken met het feit dat ik moeder was. Ik was gewoon niet goed genoeg. En terwijl ik me avond aan avond uitsloofde, verlangend naar roem en erkenning, had een gevaarlijke gek mij gevonden. In feite had ik mezelf aan hem uitgeleverd. Had ik andere keuzes gemaakt, dan was dit me niet overkomen.

'Mam,' vroeg Merel, 'waarom zijn we hier eigenlijk?' Ze probeerde met haar teen een dot schuim te pakken te krijgen.

Ik wist niet wat ik moest antwoorden. Moest ik haar de waarheid zeggen en haar opzadelen met mijn angst? Ik wilde niet dat ze zich ongerust over mij zou maken, ik wist uit eigen ervaring hoe moeilijk dat was. Maar ik wilde ook niet tegen haar liegen. Merel was slim genoeg. Ze zou iets op kunnen vangen. En ik wilde dat ook zij op haar hoede was. Ik trok haar glibberige, magere lijfje naar me toe. Ze legde haar hoofd tegen mijn schouder en aaide mijn arm met haar lange, door het water gerimpelde bruine vingers.

'Mama moet even weg uit de stad. Er is iemand boos op mij. Maar de politie zit achter hem aan en als ze hem hebben, dan gaan we weer lekker naar ons eigen huis.'

Merel keek me geschrokken aan. 'Waarom is er iemand boos op jou? Is het die enge man, van vanochtend?'

'Nee, die meneer had een vergissing gemaakt. Maar een andere man vindt het niet zo leuk dat ik zing en dans op het podium.'

'Jezus, wat dom, zeg. Hij is misschien gewoon jaloers dat jij dat kunt en hij niet. Weet je nog, dat Zoë mij had uitgescholden over mijn krullen? En dat jij zei dat ze gewoon jaloers was dat ze die zelf niet had? Zo is het denk ik met die man ook.'

Ik gaf haar een kus op haar voorhoofd. 'Ja, misschien heb je wel gelijk.'

'Maar waarom moet de politie hem dan pakken? Is het een boef?'

'Nou, hij is wel een beetje een boef. Hij stuurt mama gemene brieven. Maar de politie gaat ons beschermen. Dus je hoeft niet bang te zijn. Je moet alleen niet met vreemden praten.'

'Dat doe ik toch al nooit.'

'En op je broertje letten.'

'Doe ik ook altijd al.'

'En hierover niks tegen hem zeggen. We hoeven hem niet bang te maken. Hij is nog klein.'

Merel knikte met haar meest serieuze gezicht. 'Zal ik nog een keer laten zien hoe lang ik onder water kan? Jij moet tellen!' Ze hapte naar adem, kneep haar neus dicht en verdween onder het schuim.

Rozig en warm, gehuld in badlakens, liepen we de trap op, naar de derde etage, waar het 'gastenverblijf' was. Vroeger waren daar onze slaapkamertjes geweest. Twee Spartaanse hokjes, waar we niks aan de muur mochten plakken of prikken omdat er 's zomers gasten in sliepen. Zij kregen een echt dekbed, met vrolijke, rood-wit geblokte hoezen, en een kleedje over de tafel. Wij moesten het doen met stoffige dekens, waar ik allergisch voor was, met als gevolg dat ik de hele winter met een snotneus liep.

Ans plaste in haar bed, tot wanhoop van mama, en daarom had ze een plastic hoes om haar matras. Mijn moeder dacht dat ze het wel af zou leren als ze haar bed nooit verschoonde. Vaak kwam ze 's nachts snikkend bij mij en kroop ze naast me, stinkend naar de urine. Dan lagen we samen uren wakker, bang voor de ochtend, wanneer mama de natte lakens zou aantreffen. 'Ik hang ze buiten,' gilde ze dan, 'zodat iedereen kan zien dat zo'n grote meid van twaalf nog steeds in haar bed piest!'

Ans had van onze kamertjes één grote, lichte ruimte gemaakt. Met openslaande deuren naar het balkon, een groot, antiek spijlenbed en een zithoek voor het raam. Op het bed lag een lilagebloemd dekbed, de gordijnen en het tafelkleedje hadden hetzelfde dessin. Aan de muur hingen de borduurwerkjes die Ans en ik vroeger hadden gemaakt. Ik wees Merel op de door mij geborduurde viooltjes en roosjes en ze vond het 'suffe dingen'. 'Dat je dat leuk vond,' zei ze en ik legde haar uit dat wij geen televisie mochten kijken. Ze kon het zich niet voorstellen. We lieten ons vallen op het bed. Het leek alsof het bloed in mijn lijf gonsde en ik kon mijn ogen niet langer openhouden. We kropen onder het dekbed en vielen samen in slaap.

16

Ik werd wakker en wist niet waar ik was. Buiten was het schemerdonker en het stormde nog steeds. De wind floot rond het huis. Binnen was het doodstil. Merel lag niet meer naast me.

Ik kwam overeind en mijn hoofd voelde aan alsof iemand me met een eind hout had geslagen. Een doffe, zeurende pijn klopte achter mijn ogen, die maar half open wilden. Ik had zeker vier uur geslapen. Hoe zat het ook alweer? Ik was bij mijn zus. In Duinzicht. Bergen aan Zee. Ik werd bedreigd. Eigenlijk had ik nu in Utrecht moeten zitten, met de band.

Wankel stapte ik uit het bed, mijn voeten raakten de koude, gladde vloer. Ik huiverde. Waar zat het licht? Ik tastte met mijn vingers langs de muur en vond de schakelaar. Er stonden bloemen op de tafel en al onze kleren lagen in keurige stapeltjes in de kast. Mijn zus had klaarblijkelijk de kast staan inruimen en ik had er niets van gemerkt. Ik moest in een soort coma hebben gelegen.

Ik trok een paar sportsokken, mijn oude grijze joggingbroek en mijn Healers-sweater aan, waarna ik de slaapkamer verliet. Beneden hoorde ik de kinderen opgewonden praten.

Wolf stond in de keuken op een kruk, zijn mouwen opgestroopt en zijn handen in een grote witte kom. Hij zat onder de bloem en grijnsde van oor tot oor. Merel sneed een paprika op een grote plank in stukjes, met haar tong uit haar mond en een theedoek om haar hoofd. Ans stond voor haar gigantische roestvrijstalen fornuis in een pan te roeren.

Ook de keuken zag eruit alsof er nog geen ei in gebakken werd. Behalve een espressomachine stond er niks op het lange, zwartgranieten blad.

'Mama,' riep Wolf, 'ben je wakker geworden? We gaan zelf pizza bakken, voor jou! Ik mag het deeg maken van tante Ans en Merel mag al snijden met een mes!'

'Wijntje?' vroeg Ans. 'Ga lekker zitten. Ik heb een heerlijke pinot grigio.'

Ze zette het glas voor mijn neus, schoof een asbak mijn kant op en reikte me een bakje olijven aan.

'We zijn op het strand geweest en daar lag een héle grote berg schuim. Ik mocht erdoorheen lopen! En tante Ans heeft mijn broek gewassen. Toen gingen we friet eten. Met vis. Hoe heet het ook alweer?' Wolf keek naar mijn zus.

'Kibbeling.'

'Ja, kibbeling. Met saus. En cola.'

Merel was klaar met de paprika en begon aan de champignons. Ze borstelde de witte paddestoelen schoon en begon ze in keurige dunne plakjes te snijden. 'En ik werd wakker, maar jij bleef maar slapen. Toen ben ik naar beneden gegaan. Tante Ans ging een tosti voor me bakken.'

'Zo, de tomatensaus is klaar. Nu nog wachten tot het deeg is gerezen en dan kunnen we de pizza beleggen.' Ans veegde haar handen af aan haar schort, pakte de fles witte wijn en schonk zichzelf een glas in.

'Jullie mogen wel even tv kijken.'

De kinderen renden de keuken uit en Ans ging tegenover me zitten.

'Lekker geslapen?'

Ik knikte.

'Heb je het gezien? Ik heb je kasten ingeruimd, maar je bent er niet wakker van geworden.'

Ik prikte een olijf aan een cocktailprikker met een klein schelpje op het eind. 'Wel vreemd, om midden op de dag zo diep te slapen. Normaal kan ik dat niet. Dan ga ik liggen piekeren en me schuldig voelen.'

'Je hebt het blijkbaar nodig. Na zo veel stress. Nu je veilig bent, moet je lichaam bijtanken. Geef er maar lekker aan toe. Ik vind het leuk om met de kinderen te rommelen. Ik heb nooit de kans gehad om ze echt goed te leren kennen.'

'Je hebt de wind er goed onder, zo te zien.'

'Ach, vreemde ogen dwingen.'

'Bij mij thuis willen ze nooit iets doen. Als ik ze vraag de tafel te dekken of te helpen met afwassen, beginnen ze onmiddellijk te gillen en ruzie met elkaar te maken.'

'Je hebt énige kinderen. Daar mag je trots op zijn.'

Ik kreeg een kleur en onderdrukte de neiging om te vertellen wat er allemaal niet zo enig aan ze was.

'Alleen Mereltje is een beetje angstig, maar dat is logisch.'

'Hoezo, logisch?'

'Ze heeft nogal wat meegemaakt, toch? Er zijn twee vaders uit haar leven vertrokken. En ik weet niet of het verstandig is dat je haar hebt verteld over die brieven…'

'Ik moest wel, Ans. Ze is acht. Ze vroeg waarom we zo plotseling vertrokken uit Amsterdam. En ik wil niet liegen tegen haar. Daarnaast wil ik dat ze voorzichtig is…'

'Ik weet niet of een kind van acht die verantwoordelijkheid aankan. En Merel voelt zich héél verantwoordelijk. Voor jou en voor haar broertje. Ze is erg bang geworden door je verhaal. Ze zei dat ze je niet alleen durfde te laten.'

Had ik het toch weer fout gedaan.

'Maar wat moet ik dán doen? Merel is niet gek, ze weet heus wel dat we niet zomaar voor de lol weggaan.'

'Het is nu in ieder geval belangrijk dat ze zich weer veilig gaat voelen. Je moet haar vertellen dat je niet bang bent. Je moet je angst niet tonen aan je kinderen.'

'Dat weet ik wel…'

Ik haalde diep adem en begon ernstig aan mezelf te twijfelen.

'Maria…' Ze legde haar hand op de mijne. 'Zo erg is het niet! Ik begrijp wel waarom je het hebt gezegd. En ik heb makkelijk praten, het zijn niet mijn kinderen…'

Ik trok mijn hand weg. 'Precies! Dus laat het opvoeden maar aan mij over. Ik doe mijn best, oké? En dat pedagogische gezwam… Het mag dan wel je vak zijn, maar als je ze zelf zou hebben, zou je nog raar staan te kijken. Het is niet allemaal zo eenvoudig als het in die boekjes van jou staat. Kinderen stellen de moeilijkste vragen, waarop je zelf ook geen antwoord weet. Het is niet meer zoals vroeger, toen ma maar met haar ogen hoefde te knipperen en we deden wat ze vroeg. Mijn kinderen gaan overal over in discussie. En ze weigeren te doen wat ik vraag. Ze zijn brutaal, ze maken de godganse dag ruzie. Doodmoe word ik er soms van!'

'Laten wij nu maar geen ruzie maken. Het komt allemaal wel goed. Rustig maar. Kom op. We gaan pizza maken.'

Ans riep de kinderen. Ik wilde ook opstaan, maar ik trilde te erg en mijn benen voelden als elastiek. Ik kon ook werkelijk niets hebben. Een golf van misselijkheid sloeg door mijn maag en ik bereikte nog net op tijd het toilet. Daar kotste ik de darmen uit mijn lijf in de naar eucalyptus ruikende pot. Het was alsof ik mijn laatste restje kracht uitspuugde. De zure witte wijn brandde in mijn slokdarm.

Natuurlijk had Ans gelijk. Ik moest mijn kinderen erbuiten houden. En waarom moest ik haar zo nodig vertellen dat ik het opvoeden zo'n zware opgave vond? Wat wilde ik daarmee bereiken? Ze irriteerde me gewoon. Dat opgewekte, gezellige-tantegedoe, het gekneuter in de keuken. En het deed me pijn om te zien dat mijn kinderen er zo van genoten. Hoe gelukkig ze waren met haar aandacht. Aandacht die ík aan hen hoorde te besteden.

17

We aten pizza en luisterden naar het geratel van Wolf over *Dragonball Z*. Er was geen touw aan vast te knopen, maar ik vond het prettig om naar hem te luisteren, naar zijn hoge stemmetje, en zijn gezicht daarbij te observeren. Wolf had nog dat peuterachtige, dat schattige mollige dat hij binnenkort zou verliezen. Dan zou zijn gezicht smaller worden en zouden zijn melktanden plaatsmaken voor grotemensentanden. Maar nu bezat hij nog die bolle wangen, waarin ik wilde bijten, rond en zacht en rood. Zijn oren gloeiden van enthousiasme over het feit dat hij onze volledige aandacht had met zijn verhalen. Merel begon zich te ergeren aan zijn geklets, stak haar vingers in haar oren en begon te zingen. Steeds harder, om hem te overstemmen, en dat maakte hem zo kwaad dat hij begon te stotteren en te slaan. Ik kon nog net voorkomen dat Merel hem terugmepte en stuurde haar naar boven. Daarna nam ik Wolf op schoot en zei hem dat hij niet mocht slaan, al was hij nog zo kwaad.

Dan kon hij beter op een kussen meppen, of weglopen.

Gedurende dit hele tafereel zei Ans niks. Ze had zich duidelijk voorgenomen zich niet meer te bemoeien met mijn opvoedingsperikelen. Toch voelde ik me niet op mijn gemak met haar *Big Sister*-aanwezigheid op de achtergrond. De preek die ik tegen Wolf hield, was vooral voor haar bedoeld. Alsof ik een soort mondeling examen hield om te bewijzen dat ik heus wel pedagogisch verantwoord met mijn boze kind om kon gaan. Was ik thuis geweest, dan had ik lekker een partijtje meegeschreeuwd.

Ik bracht ze naar bed, vertelde een zelfverzonnen verhaaltje en nam het hele '*love you, de pove you*'-ritueel met ze door – als ze allebei schoon in hun bedje lagen, knuffelde ik ze om de beurt stevig en wreven we met de neuzen tegen elkaar, onderwijl '*love you, de pove you*' fluisterend. Vervolgens deden we de kusjeswedstrijd, waarbij degene die het het langst volhield kusjes te geven zonder tussendoor adem te halen, won. – Daarna wilde ik naar buiten. Ik had even geen zin om bij Ans in de kamer te gaan zitten. Hoezeer ze ook haar best deed me op mijn gemak te laten voelen, er hing een ongemakkelijke sfeer tussen ons. Een spanning die nooit meer doorbroken zou kunnen worden en die er altijd was geweest.

Mijn moeder had na de geboorte van Ans vijf jaar lang op alle mogelijke manieren geprobeerd zwanger te worden van een tweede kind. Na twee miskramen en vele hormoonbehandelingen was het dan eindelijk zover; ik had me genesteld in haar baarmoeder en ze moest zeven maanden plat. Ans groeide op met het idee dat haar aanwezigheid niet genoeg was voor mijn ouders. Hoeveel ze ook hielp met tafeldekken en was vouwen, hoe vaak ze ook met madeliefjes aan kwam zetten, mijn moeders zorg ging uit naar haar ongeboren kind. Maar het zou nooit genoeg zijn voor onze moeder. Ook mijn geboorte bracht haar niet het geluk en de rust waarnaar ze zocht. Een zoon moest er komen en die kwam er, drie jaar na mij. 'Nu is mijn gezin compleet,' had ze gezucht toen ze thuiskwam uit het ziekenhuis, met een bundeltje in een blauwe, gebreide deken. Stephan overleed vier maanden later. Wiegendood. Mijn moeder werd letterlijk gek van verdriet. Een jaar na zijn overlijden werd ze voor het eerst opgenomen, nadat ze met haar hoofd in de gasoven was gaan liggen.

'Ik ga even wandelen,' zei ik tegen Ans, die zich had opgerold in haar zwarte stoel bij de haard. 'Lijkt je dat nou wel zo verstandig?' riep ze me achterna, maar ik had mijn jas al aan. Ik moest weg.

'Ik ben zo terug. Er kan me hier niks gebeuren. Ik wil even frisse lucht.'

Ik pakte mijn telefoon uit mijn tas, zette hem aan en hij begon meteen te trillen. 'U heeft vijf voicemailberichten', stond er op het scherm.

'*Life is calling*,' mompelde ik, en ik liep naar buiten.

De wind zandstraalde mijn gezicht en waaide dwars door mijn kleren heen. De gulzige zee sloeg tegen de donkere duinen, en zwarte wolken haastten zich langs de halvemaan. God, wat voelde het hier bedreigend en vertrouwd tegelijk. Ik herinnerde me weer hoe ik me als zestienjarige had gevoeld, 's winters in dit verlaten gat, kokend van energie en onrust waarmee ik geen kant op kon. Die angstaanjagende betonnen blokken, de appartementencomplexen die alleen zomers bewoond werden, het kale plein vol opgewaaid zand en water, lege parkeerplaatsen. De duinkom achter ons pension, vroeger vol met rozenbottel- en braamstruiken, was nu volgeplempt met nieuwbouwvilla's, vakantiehuizen van rijke stedelingen. Met riet gedekte daken op rode steen tussen het helmgras. Nu woonde er niemand in deze kostbare hokken.

Ik liep naar Het Plein, langs Neptunus, een betonnen, zeshoekig gebouw dat veel weg had van een kolossale ufo en waaronder zich een restaurant bevond. Misschien kon ik daar een borrel halen. Ik zoog de vochtige, koude zeelucht naar binnen en herinnerde me wat mijn vader altijd zei, dat de zeelucht de zorgen uit je kop blies. Het had bij mijn moeder niet gewerkt.

Neptunus was nog open. Het was er licht en warm en, op enkele zwijgzame seniorenparen na, helemaal leeg. Neptunus was ingericht zoals een strandtent ingericht hoorde te zijn: vol foto's en schilderijen van gestrande schepen, visnetten en reddingsboeien, olielampjes boven de tafels, zand op de vloer, hier en daar een plastic palm om de illusie te wekken dat we ons op een veel paradijselijker strand bevonden en bij de ingang een gezellige papegaai.

Ik ging zitten aan een tafeltje aan het raam dat voor vier personen gedekt was en schoof de placemat met daarop een foto van Bergen aan Zee in de jaren twintig aan de kant. Mijn jas gooide ik over de stoel naast me. Daarna diepte ik mijn telefoon op en belde mijn voicemail.

Geert had drie keer gebeld. De eerste keer met zachte stem, zich verontschuldigend voor zijn botte vertrek. *'Maria, ik maak me zorgen om je, laat alsjeblieft wat van je horen.'*

Zijn tweede boodschap was dringender. *'Waar ben je? Waarom ben je niet thuis? Waarom kom je vanavond niet zingen? Shit. Bel me.'*

Zijn derde bericht was ronduit woedend. *'Godverdomme! Ik heb het recht te weten waar je bent, met mijn kinderen!'*

Daarna klonk Steves rasperige stem.

'Hi, met mij. Steve. Het was echt geweldig om je weer te zien, weet je. Wanneer spreken we af met Merel erbij? Bel me even terug, want ik wil nog wat met je bespreken.'

Het laatste bericht werd niet ingesproken. Ik hoorde kroeggeluiden, geroezemoes van mensen en een vreemd soort gekraak. Ik zette mijn telefoon weer uit. Ik twijfelde of ik Geert moest terugbellen. Natuurlijk had hij er recht op te weten waar ik met de kinderen was, maar iets weerhield me ervan. Ik durfde hem niet te vertrouwen en die gedachte maakte me ineens ontzettend triest.

'Maria?' Een blonde, mollige serveerster staarde me aan. 'Jij bent toch Maria Vos? Van Duinzicht?' Ze lachte naar me en er begon me iets te dagen.

'Daphne? Daphne Wijker?'

'Jee, Maria! Wat leuk om je weer eens te zien!' Daphne kreeg rode vlekken in haar nek van opwinding. 'Hoe lang is het wel niet geleden? Eens kijken... Ik denk zeker dertien jaar! Hoe is het met je? Wacht, ik haal eerst wat te drinken voor je. Wat wil je?'

'Doe maar een biertje.'

Ze haastte zich naar de bar, bijna huppelend, zo blij was ze dat er iets onverwachts gebeurde op deze stille, koude avond, tussen de timide echtparen die elkaar niets meer te vertellen hadden.

Daphne was de dochter van de plaatselijke visboer, en even oud als ik. We speelden vroeger met elkaar, op het plein, en fietsten samen naar school in Bergen. Gedurende onze puberjaren fietsten we samen op zaterdagavond naar het centrum van Bergen, waar we, als we eenmaal aangekomen waren, ieder onze eigen weg gingen. Daphne behoorde tot 'de disco's' en daar hadden wij 'alto's' een hekel aan. Wíj blowden en dronken Southern Comfort, zij rookten Marlboro en dronken Pisang Ambon met jus. Zij ging met haar gepermanente blonde haar naar discotheek 't Heertje, ik ging naar het duistere muziekcafé De Cel. Ik kon niet wachten het bekrompen dorp te verlaten, zij droomde van een toekomst als kapster in het dorp.

Daphne kwam terug met een biertje en een glas water. Ze nam plaats tegenover me.

'Ik heb even pauze gevraagd. Er is toch niemand. Ik val in. Nou, vertel, wat doe je allemaal vandaag de dag?'

'Ik woon in Amsterdam, met mijn dochter en zoontje, en ik zing in een band…'

Haar mond viel open en ze slaakte een kreet van verbazing.

'Echt? Heb jíj kinderen? Dat had ik nou nooit achter je gezocht! En zingen in een band… Dat wilde je vroeger al, toch? Wat enig. Wat voor band is het?'

'Een soulband. The Healers. Ouderwetse soul, met blazers. We spelen eigenlijk vooral covers.'

'O. Te gek, zeg. En waar treden jullie allemaal op?'

'Overal waar ze ons willen. Koninginnedag, feesten, bruiloften, congressen, festivals. En jij? Hoe is het met jou?'

'Ja. Nou, goed. We wonen hier, achter in die nieuwe wijk. Ik heb een maand geleden een kindje gekregen, een zoontje. Sam heet hij. En ik ben getrouwd met Chris. Weet je nog? Chris van Buuren?'

'Chris, die surfer?'

'Ja.' Daphne giechelde en begon weer te blozen. 'Hij is nu stratenmaker. Hij heeft samen met Loek, die ken je ook nog wel, een eigen bedrijfje opgericht. De Stratenmakers aan Zee. Vind je het niet lachen? Ik ben eigenlijk nog met zwangerschapsverlof, maar mijn vader heeft deze tent overgenomen en hij zit met een personeelstekort.' Ze stond op. 'Maar leuk om je weer eens te zien. Hoe is het met je zus?'

'Het lijkt me dat jij dat beter weet dan ik. Jullie wonen bijna naast elkaar.'

'Ik zie haar bijna nooit. Chris wel, die doet nog wel eens een klusje voor hen. Die man van haar, Martin, die zie ik nog wel eens lopen. Is er iets met ze, dat jij nu hier bent?'

'Nee, hoor. Ik hou even vakantie, met de kids.'

'Moeten ze niet naar school?'

'Jawel, maar we moesten er even uit. De jongste heeft nogal last van astma.'

'Ah.' Ze knikte begrijpend. Ze keek zoekend door het restaurant en bleef dralen bij mijn tafel. 'Hij is wel een beetje een rare, vind je niet? Die Martin?'

'Hoezo?'

'Nou ja. Zo eigenaardig. Op zichzelf. Hij ziet niemand staan, net of hij zich te goed voelt of zo. En laatst zat ik 's nachts Sam te voeden en dan kijk ik altijd uit het raampje op zijn kamer naar buiten en ineens zag ik hem rennen. Tenminste, ik zag íemand rennen. Ik liep naar het raam om het beter te kunnen zien en toen zag ik dat hij het was. In zijn onderbroek! Ik dacht nog: dat huis heeft geen goede aardstraal. Het doet iets met iedereen die er woont, lijkt het wel.'

Ze leek ineens te beseffen tegen wie ze het had en haar nek vlamde weer rood op. 'Ik bedoel jou niet, hoor. En ook niet je zus…'

'Je bedoelt mijn moeder…'

'Mijn vader zei laatst: iedereen die van buiten komt en daar gaat wonen, wordt gek. Je moeder kon er niet tegen, Martin kan er volgens mij ook niet tegen.'

'Dat is nog niet "iedereen". Volgens mij is het probleem dat de mensen hier een beetje te veel op elkaar letten, bij gebrek aan ander vermaak. Misschien hadden hij en mijn zus gewoon ruzie, of hadden ze te veel gedronken, of gingen ze voor de lol achter elkaar aan rennen, weet ik veel…'

'In de regen?' Daphne keek me aan met een spottende, achterdochtige blik, knipperde nadrukkelijk met haar wimpers vol mas cara, kneep haar ogen toen tot spleetjes en boog zich naar me toe. 'Het is maar dat je het weet. Hij zou niet de eerste zijn… Mensen van buiten kunnen gewoon niet tegen de wind en de leegte hier. Nou meid, ik ga weer aan het werk. Wacht, ik geef je mijn nummer, voor als je een keer een borrel wilt halen.'

Ze schreef haar telefoonnummer op een bierviltje, schommelde weg en verdween de keuken in. Ik zat nog geen dag in dit achterlijke gat en voelde me alweer precies zoals dertien jaar geleden. Dat Ans het uithield tussen die bekrompen, achterdochtige mensen, die nog steeds kletsten over ons en over wat er ooit was gebeurd. Ik hoefde mijn biertje niet te betalen en Daphnes vader kwam nog even uit de keuken om mij enthousiast de hand te schudden. Ze zwaaiden me vrolijk na toen ik vertrok en ik wist dat ze zich afvroegen waarom ik ineens weer terug was.

18

Ans zat in de woonkamer, nog steeds met haar benen opgetrokken in haar stoel bij de haard, toen ik hijgend en doorweekt binnenkwam. Ik liep naar het vuur om mijn handen te warmen en net toen ik een tirade over het weer af wilde steken, zag ik dat ze huilde. Haar kin trilde, evenals haar lippen, en tranen drupten van het puntje van haar neus. Ik wist dat ik haar nu hoorde te troosten, maar ik kon het niet opbrengen haar aan te raken.

'Hij heeft gebeld,' snikte ze en ze reikte haar hand naar me uit. Ik pakte hem en kneep erin, een soort halfslachtig gebaar van steun. Ze strengelde haar vingers in de mijne, die koud en nat waren.

'Die klootzak. Die lul.' Ze schudde driftig met haar hoofd. 'Ik weet het niet meer. Ik weet niet meer wat ik nou moet doen.'

Ik ging naast haar zitten op de stenen vloer, haar hand nog steeds in mijn hand, en dat voelde op een vreemde manier prettig. Ans leunde nu op mij. Ik was even de sterke en zij het slachtoffer.

'Wat zei hij?'

'Hij zit in Spanje. In Madrid. Hij is naar Schiphol gereden en heeft de eerste de beste vlucht gepakt. Hij moest weg. "Om alles op een rijtje te zetten." Ik vroeg hem hoe lang hij daarvoor nodig dacht te hebben. Dat wist hij niet. Hij belde alleen maar om te zeggen dat ik me niet ongerust hoefde te maken. Hij zei: "Misschien kom ik wel nooit meer terug." "En je klanten dan?" vroeg ik nog. Die konden van hem in de stront zakken. Ik moest zijn archief maar naar zhv brengen – dat is het kantoor waar hij vroeger werkte.'

Ze begon weer te huilen, snikkend gleed ze naast me op de grond en ineens hing ze om me heen, haar hoofd bevend in mijn nek, haar tranen op mijn wangen. Ik streelde onhandig haar haren en pakte voorzichtig haar magere schouder vast. Ik kon me niet herinneren ooit zo met haar gezeten te hebben.

'Ik hou van hem,' snotterde ze. 'Ik mis hem. Hij is de enige die ooit van mij gehouden heeft. Die mij begreep. Hoe kan dit nou gebeuren?'

Ik wist niet wat ik moest antwoorden.

Ans veegde haar tranen weg met haar mouw en haalde haar neus op. 'Genoeg gejankt…Verdomme. Hij wilde iets anders met zijn leven dan ik. Klaar. Streep eronder.' Ze haalde woest uit met haar arm en krabbelde sniffend overeind, waarna ze richting de deur liep. 'Wil je ook een glaasje rood?'

Ik knikte en keek naar de vlammen.

Ik voelde me een trut. Daar zat ik, onhandig en op slot, met mijn mond vol tanden nu Ans mij voor het eerst in haar leven echt nodig had. Waarom kon ik niets voelen bij haar verdriet?

Het liefst zou ik haar omhelzen en troosten, van haar houden zoals het hoorde. Ik verlangde hevig naar verzoening, naar haar vertrouwen, naar een echte band met mijn zus, de enige die mij mijn hele leven al kende.

Zwijgend dronken we rode wijn en luisterden naar het geknetter van het vuur. De intimiteit tussen ons was even snel weer verdwenen als ze gekomen was. De alcohol deed mijn wangen gloeien en gaf me een warm, sentimenteel gevoel. Twee vrouwen, door God en iedereen verlaten, wakend over elkaar en twee prachtkinderen, boven op een duin.

'Ik moet verder met mijn leven,' zei Ans, en ze hief haar glas.

'We zijn niet geschikt voor de liefde,' zei ik, en de woorden strui-kelden over mijn tong, waardoor ik sliste en dronken leek.

'Wij zijn als die babyaapjes die voor een medisch experiment bij een surrogaatmoeder werden grootgebracht, zonder liefde. Toen de aapjes volwassen waren, konden ze geen liefde geven. Ze ver-stootten hun eigen kinderen. Wíj weten niet hoe we van iemand moeten houden. Dat hebben we nooit geleerd.'

Ik werd draaierig en kon niet meer uit mijn woorden komen. Ik wilde zeggen dat ik het niet met haar eens was. Ik kon wel liefde ge-ven. Ik was misschien niet de beste moeder, maar ik hield onvoor-waardelijk van Merel en Wolf. En dat liet ik ze ook voelen. Ik had van Geert gehouden en voor hem gezorgd, ik had mezelf opzijgezet voor hem. Maar ik kreeg het niet uit mijn mond. Mijn tong was dik en slap en mijn lippen leken wel verlamd. De kamer draaide voor mijn ogen, waarna alles zwart werd. Ik hoorde mijn moeder tekeer-gaan en schreeuwen van woede en angst, hoorde haar slaan, het walgelijke doffe geluid van ijzer op vlees, het wegkwijnende ge-kreun van mijn vader. Ik probeerde mijn ogen te openen met alle kracht die ik had, maar het lukte niet.

19

Mijn moeder was het resultaat van een kortstondig avontuur tussen een ondergedoken verzetsman en mijn oma, destijds barjuffrouw in een café in de Pijp. Ze werd in 1943 geboren in oma's raamloze kamertje boven de kroeg, overleefde kou en honger dankzij een zorgzame buurvrouw en groeide na de bevrijding op in het café, waar ze tussen de stamgasten speelde tot ze eindelijk naar school mocht en mijn oma niet langer in de weg liep.

Op school haalde ze prachtige cijfers, tot grote verbazing van haar moeder, die niets begreep van het magere, serieuze, teruggetrokken meisje. Mijn moeder deed de boodschappen, kookte, maakte het raamloze kamertje schoon en ging daarna in bed liggen lezen. Ze speelde niet met andere kinderen op straat, en kwam ook niet meer in de kroeg, omdat ze zich kapot ergerde aan haar moeder en de stumpers die haar omringden. Oma werd kriegel van het ernstige wicht met haar minachtende, afkeurende blik, zeker in de va-

kanties, en toen mijn moeder weer eens bronchitis had en de huisarts mijn oma attendeerde op het Bio Vakantieoord, ging ze daar
gretig op in. Hij kon ervoor zorgen dat mijn moeder de zomerva-
kantie zou doorbrengen in een vakantiekolonie in Bergen aan Zee,
met andere stadse bleekneusjes, om aan te sterken in een gezonde
omgeving.

Bio Vakantieoord was geen vakantiekolonie, maar een straf-
kamp waar een streng regime heerste. Mijn moeders handen en
voeten werden geboeid tot ze rauw waren en rood zagen, haar haren met terpentine ontluisd en haar oren hardhandig schoonge-
schraapt. Mijn moeder, die vijftien jaar lang alleen was geweest,
veilig met haar boeken in het donkere kamertje, die voor zichzelf
had leren zorgen, moest ineens op een slaapzaal liggen met nog vijf-
tig andere meisjes, aan tafel zitten met tweehonderd kinderen en
gehoorzamen aan wrede begeleidsters, die haar dwongen haar pap
op te eten. Wat ze uitkotste, werd weer bij elkaar geveegd en opnieuw op haar bord gegooid, en iedere avond werd ze gewogen.
Wie aankwam, kreeg een prijs, wie niet aankwam, moest een week
langer blijven.

De eindeloze wandelingen, de activiteiten aan het strand waarbij ze iedere dag uitgelachen werd omdat ze geen aanleg had voor
sport, het gegiechel en geroddel op de slaapzaal, het gebrek aan
ruimte en stilte, het was één grote nachtmerrie.

Gelukkig was ze een onopvallend type. Ze kon zichzelf heel goed
onzichtbaar maken en toen ze een keer achteropraakte bij een bos-
wandeling, merkte ze dat niemand haar kwam zoeken.

Steeds vaker lukte het haar de groepsactiviteiten te ontduiken
zonder dat iemand het opmerkte en dan ging ze in haar eentje in de
duinen zitten, of aan de zee, kijken naar de meeuwen en de mensen,
en om vijf uur voegde ze zich weer als een schim tussen de andere
bleekneuzen om aan tafel te gaan en tot snot gekookte groenten
met gemalen vlees te eten.

Haar favoriete plek was een bankje op het duin, met uitzicht op zee,
vlak naast de strandafgang. Daar was de hele dag van alles te zien.
's Morgens kwamen de gezinnen, de ouders met tassen en stoelen

en parasols zeulend, al zuchtend en mopperend op de kinderen, die gillend van enthousiasme het strand op renden. Je kon de klok erop gelijkzetten: rond vijf uur 's middags kwam de uittocht op gang. Iedereen vertrok tegelijk, met rode gezichten, weer mopperend en zuchtend en zeulend, dit keer met kinderen die huilden van vermoeidheid en tegenzin.

Het mooiste moment op het bankje was 's avonds na achten, als ze zich had weten te onttrekken aan het avondprogramma, het strand leeg was en nagloeide in de lage zon. Dan kwam hij te voorschijn. Met zijn lichtblauwe shirt nonchalant uit zijn korte broek, zijn gespierde armen en zijn wilde blonde krullen. Hij was niet rood en vlekkerig verbrand zoals zij, maar goudbruin. Met een sigaret in zijn mond sjouwde hij op blote voeten met strandstoelen door het zand, zette ze allemaal weer keurig op een rij, raapte alle afval die de toeristen hadden achtergelaten op, waarna hij met een flesje bier onderuitgezakt in een van de stoelen naar de zee ging zitten staren. Tegen die tijd haastte mijn moeder zich weer naar Bio, mijmerend over hoe het zou zijn om samen met hem naar de rode zon te kijken en nergens heen te hoeven.

De man met de strandstoelen was mijn vader. Toen was hij achttien jaar oud en enige zoon van Piet en Annie Vos, eigenaren van pension Duinzicht. Piet en Annie pachtten 's zomers een stuk strand, bakten frites en verhuurden strandstoelen. Cor, mijn vader, regelde in zijn vakantie de verhuur en het onderhoud en verder had hij het erg druk met de dochters van de Duitse toeristen die in Duinzicht vertoefden. Cor was een strandjongen, niet vies van zand en zout, die indruk maakte door met zijn tanige bruine lijf rennend vanaf het duin zo de zee in te duiken.

Die zomer had hij mijn moeder allang in de peiling. Dat stille, magere, blonde meisje met die holle blik, dat plotseling op het bankje verscheen en even later weer verdween, dat er genoeg aan had om gewoon maar wat te zitten en te staren. Ze had iets tragisch. Ze zat daar maar te wachten, met haar armen om haar buik gevouwen, eenzaam en mysterieus. Ze intrigeerde hem. Hij wilde haar aan het lachen maken, haar het zand op zien rennen, haar magere armen bruin zien worden en haar blauwe ogen zien stralen. Hij wilde haar redden.

Was hij maar ver bij haar vandaan gebleven en gewoon met Gisela, de dochter van een rijke Duitse bierbrouwer, getrouwd. Had hij maar niet op een extreem warme avond besloten om naast mijn moeder te gaan zitten op dat bankje. Had hij haar maar nooit verteld over de lichtende zee, over zijn nachtelijke kampvuren, want het was niet aan haar besteed. Uiteindelijk zou ze gek worden van het zand en het geraas van de wind en de golven, zou ze alles gaan haten waar hij zo van hield. Was hij maar nooit tot over zijn oren verliefd geworden op die bonenstaak met spillebenen, had hij maar niet in haar smekende blauwe ogen gekeken en haar lege blik voor hulpeloos aangezien.

Had mijn moeder maar meer zelfvertrouwen gehad. Dan had ze niet gekozen voor een man van de kust. Dan had ze zich niet laten uitkiezen door de eerste de beste jongen die zich voor haar interesseerde en was ze alleen gebleven met haar boeken, op een keurige etage in de stad, en was ze misschien eenzaam geweest, maar nooit zo ongelukkig als ze werd in het huwelijk met mijn vader.

Mijn ouders werden toch verliefd op elkaar en dachten dat dat genoeg was. Mijn moeder verliet het raamloze kamertje en haar boeken voor een kamer aan zee en vond het in het begin heerlijk om aanbeden te worden. Niemand had ooit écht van haar gehouden en nu kreeg ze bakken vol liefde. Ze bleek een bodemloos vat. Het was nooit genoeg en ze kon het niet teruggeven.

Mijn vader hield nooit op met van haar te houden. Zelfs toen ze psychotisch werd, hem te lijf ging met een mes en hem voor zijn hoofd sloeg met een asbak, hield hij nog van haar. Zoveel, dat hij haar ziekte zo lang mogelijk voor de buitenwereld verzweeg, opdat ze haar niet weg zouden komen halen.

20

Hoeveel had ik gedronken? Niet meer dan vier glazen wijn en toch voelde ik me alsof ik een hele fles whisky achterover had geslagen en daarna onder een tram was gaan liggen. Al mijn spieren deden pijn, mijn ogen brandden, mijn mond was droog en zuur en mijn maag had zich samengetrokken tot een harde, pijnlijke bal die tegen mijn middenrif aan bonkte.

Vanaf het moment dat mijn zus over liefde begon, kon ik me niets meer herinneren, behalve een vage nachtmerrie over ma die pa te lijf ging. In de verte hoorde ik een dof gerinkel en ik tastte met mijn hand naar de wekker om hem uit te zetten. Ik keek op de klok. Halfelf. Shit, was het al zo laat? De kinderen waren weg. Ik stommelde uit mijn bed, op zoek naar de bron van het gerinkel dat plotseling weer ophield. Mijn mobiele telefoon.

Ik vond hem in de binnenzak van mijn spijkerjas. 'Drie oproepen gemist' stond er op het scherm. Net toen ik wilde opzoeken wie mij had geprobeerd te bereiken, begon de telefoon te trillen en ik nam hem meteen op.

'Ja?'

'Ja, mevrouw Vos, u spreekt met Johan Wittebrood, van politiebureau Surinameplein. Tjonge, u bent moeilijk te bereiken... Ik ben blij dat ik u eindelijk te pakken heb...'

'Is er dan iets?' Ik schraapte mijn keel en kon even niets zinnigers uitbrengen.

'Wel, er is een probleem... U bent kennelijk nog niet op de hoogte, maar eh... Uw huis is vannacht uitgebrand.'

'Wat?'

Ik hapte naar adem en zakte door mijn knieën op het bed.

'Ja, nou, de keuken is volledig verwoest, en de bel-etage. Uw slaapkamers hebben wat rook- en waterschade... We zijn nu aan het onderzoeken wat de oorzaak van de brand kan zijn.'

'Mijn god...'

'Brandweerlieden hebben u met gevaar voor eigen leven geprobeerd te redden, maar toen bleek dat u niet aanwezig was. Uw buurvrouw was ervan overtuigd dat u en uw kinderen in bed lagen... Mag ik u vragen waar u zich nu bevindt?'

'Bij mijn zus...'

Ik liet me achterovervallen en het werd licht in mijn hoofd. Ik kon het niet geloven. Híj moest het gedaan hebben. Dit was zijn wraak op mijn vertrek. Hij had me bijna alles afgenomen.

'Mevrouw Vos?'

'Noem me alsjeblieft gewoon Maria.'

'Het spijt me heel erg. Van uw, eh, je huis. Ben je goed verzekerd?'

'Ja, ik geloof het wel. Dat is allemaal geregeld toen ik het kocht.'

Ik dacht aan mijn cd-collectie en hapte naar adem. Mijn foto-albums. Foto's van Merel en Wolf als baby. Foto's van mezelf, mijn eerste optreden. Met Steve. Geert, slapend. Bij mijn vader op schoot. De tekeningen van de kinderen. Merels lieve versje dat ik van haar had gekregen voor moederdag. Al mijn bandjes met demo's. Mijn muziekboeken. Mijn gitaar. Wolfs voetbalkleren. De videofilm van onze eerste en enige vakantie op Kreta, Wolf en Merel diepbruin, Geerts stralende lach, Wolf met zijn mollige billen sjouwend met een emmertje vol zand. Het schilderij van mij, een liggend naakt, geschilderd door een vriendje dat inmiddels zeer gevierd was. Hoe kon een verzekering dat ooit vergoeden? Al mijn herinneringen, alle herinneringen van mijn kinderen aan hun eerste levensjaren, al die dierbare kleine frutsels en knuffels, weg. Ik had het zo belangrijk gevonden om foto's van hen te maken, terwijl ze aten of in bad lagen, in het park speelden of lagen te slapen, om hun later te bewijzen hoeveel ik van ze hield.

Ik had slechts één foto van mezelf als kind, bij mijn vader op schoot naast de kerstboom, genomen door oma Annie. Drie weken later ging ze dood en daarna nam niemand meer de moeite om ons vast te leggen.

Waarom wilde die klootzak mijn verleden vernietigen? Waarom had hij míj toch uitgekozen om kapot te maken? Ik begreep het niet en ik werd razend. Ik had mijn portie ellende inmiddels wel gehad. Ik verdiende het gewoon niet.

Hij was kwaad op me. Kwaad omdat ik zomaar verdwenen was, razend omdat hij niet wist waarheen. Daarom had hij de boel in de hens gestoken. Hoewel, dat was de minst erge gedachte. Misschien was het wel zijn bedoeling geweest ons alle drie de dood in te jagen. Waren wij ternauwernood aan zijn brandstapel ontsnapt.

'Maria, een collega van mij zou graag even met je praten. Over de brand en de kwestie met de begrafenisondernemer. En de bedreigingen aan jouw adres natuurlijk. Zou je naar het bureau kunnen komen?'

'Nee. Ik weiger nog een stap in de stad te zetten voordat die klootzak gevonden is. Kan je collega niet hierheen komen?'

'Dat moet dan maar. Als je het adres geeft, dan staat hij vanmiddag bij je op de stoep.'

'Mag ik vragen waarom je zelf niet komt?'

'Jouw zaak gaat naar een andere afdeling nu de brand erbij gekomen is. Iemand van de recherche gaat zich erover buigen. Wellicht kun je de dreigbrieven aan hem meegeven…'

De brieven. Ze lagen nog thuis. In het laatje van mijn bureau. In de keuken. Ze bestonden niet meer. Het enige bewijs dat ik had, was tot as vergaan.

Wolf en Merel zaten aan de grote keukentafel te tekenen. Ans had een groot bord met boterhammen voor hen klaargemaakt en Merels haar ingevlochten. Op het aanrecht lag een briefje: 'Ben naar mijn werk. Pak mijn leven weer op. Ga je gang, tot vanavond, x, je zus.' Ik stond er dus alleen voor vandaag. Ik maakte een dubbele espresso voor mezelf en kon nog niet aan eten denken. Nu moest ik de kinderen gaan vertellen dat ons huis weg was.

Ik stak een sigaret op, inhaleerde en blies de rook krachtig uit, waarna ik de scherpe smaak van nicotine meteen wegspoelde met een slok gloeiend hete, bittere koffie. Merel wapperde de rook geïrriteerd weg met haar handen. 'Tss, mam, wanneer ga je nou eens stoppen met dat vieze gerook! Je zou het doen!'

'Heel snel, lieverd. Maar nu nog even niet.' Ik ging bij de kinderen zitten.

'Je kan eraan doodgaan, hoor!' mopperde Wolf, terwijl hij driftig met een roze stift op het papier kraste. 'Nieuwe stiften. Van tante Ans gekregen. En papier.'

'Als jij rookt, mogen wij snoep,' zei Merel, en ze liep met haar stoel naar de keukenkast, ging erop staan en pakte een zak roze biggetjes uit een trommel vol apenkoppen en autodrop. Ik had geen zin ertegenin te gaan.

'Luister,' begon ik.

'Oooh, we gaan toch niet "een gesprek" hebben, hè?' Merel propte een roze geval in haar mond en keek me gespeeld vermoeid aan.

'Nee, ik moet jullie wat ergs vertellen.' Mijn ogen stroomden vol toen ik hen aankeek.

'Wat is er, mam?' Merel legde haar hand op de mijne en beet met haar tanden op haar lip. Wolf legde zijn stift neer, rende om de tafel en nestelde zich op mijn schoot, met zijn duim in zijn mond.

'Vannacht is er iets vreselijks gebeurd. Ons huis in Amsterdam is in de brand gevlogen.'

'Echt? Is alles verbrand?' Wolfs mond zakte open, zijn natte duim gleed eruit. Merel keek me met grote, verschrikte ogen aan.

'Ook mijn lego? En poettie? En mijn *Dragonball Z*-poster?'

'Wolf, dat is toch niet het ergste! Jij denkt ook altijd alleen maar aan jezelf! We hebben geen huis meer. Geen keuken en geen badkamer en geen bedden en geen geld! Dat is allemaal verbrand!' Merel stond zo driftig op, dat haar stoel omviel. Ze wilde wegrennen, maar had geen idee waarheen. Hier had ze geen kamertje, geen plekje onder de trap waar ze zich kon verstoppen zoals ze graag deed als ze ergens verdrietig over was.

'We hebben nog wel geld. De bank bewaart ons geld en de verzekering geeft ons nog meer geld, zodat we het huis weer mooi kunnen maken. Maar onze spullen zijn weg. En we kunnen voorlopig niet terug.'

Merel schopte tegen de stoel. 'Wat een kutleven! Het is hier kut! Dat kutstrand en dit kuthuis! En die kutstiften!' Met haar arm maaide ze de doos met stiften van tafel. Ik greep haar vast en drukte haar tegen me aan. 'En jij bent ook kut!' schreeuwde ze, en ze probeerde zich los te worstelen. Ik bleef haar vasthouden, terwijl de tranen over mijn wangen stroomden en Wolf maar bleef opsommen wat er allemaal verbrand was. Zijn *Pokémon*-kaarten. Het ganzenbord. Zijn *Starwars*-video's die hij van Geert had gekregen en die hij als hij zes werd met Geert zou gaan bekijken. Zijn rugzak. Zijn boek over dinosaurussen. Zijn skeelers. Zijn nieuwe fiets.

Merel brak en begon ook te snikken. 'Dat heeft die kutlul zeker gedaan, die boos op jou is… En nou zijn wij zwervers.'

Wolf wurmde zich tussen ons uit en begon de stiften op te rapen. 'Ik ga een tekening maken. Van ons huis. Voor jou, mam. Dat je niet vergeet hoe het eruitzag.' Met het puntje van zijn tong uit zijn mond begon hij te tekenen.

21

Rini was overstuur en kon de eerste vijf minuten aan de telefoon niets anders doen dan huilen.

'Oooh, meid… We zijn zo bang geweest. Ik rook het als eerste… Ik zei tegen Guus: het lijkt wel alsof er iets staat te fikken. Hij is nog beneden gaan kijken of het gas uit was en naar de meterkast. Ik nog naar de kinderkamers, of er niet eentje met een aansteker lag te spelen. Nergens iets te vinden. Wij weer naar bed. Rook ik het weer. Ik vroeg nog aan Guus of hij niet stiekem ergens had zitten paffen. Hij weer naar buiten. Kwam hij schreeuwend terug, dat jouw keuken in lichterlaaie stond. De vlammen sloegen eruit! Ik heb onze meiden uit bed gesleurd en we zijn zo in pyjama de straat op gerend. 112 gebeld. Guus wilde bij jou naar binnen, we dachten dat jij en de kinderen lagen te slapen. Godzijdank kwam de brandweer binnen vijf minuten. Iedereen stond op straat. Kinderen overstuur… Ze gingen met zo'n ladder bij je naar binnen, braken de ruiten… Jezus, wat was ik bang. Straks komen ze eruit met drie lijken, werkelijk, dat dacht ik. Ik heb Guus weggestuurd met de kinderen, ik dacht: dat kunnen ze niet aan. Maar toen kwamen die brandweermannen weer naar buiten en schreeuwden dat er niemand in bed lag. Mens, wat was ik blij toen ik hoorde dat je weg was. Je moet er toch niet aan denken…'

Haar verhaal bezorgde me kippenvel. Ik zag het voor me, de hysterie, Wolf en Merel als lijkjes in de armen van de brandweer. Hoe ze wakker werden en naar adem hapten, langzaam stikten van de rook. Ik voelde mijn eigen paniek en doodsangst, hoe ik langzaam zou sterven voordat ik bij mijn kinderen kon komen. Hoe de vlammen ons op hadden kunnen vreten. Ik kon het gegil van mijn kinderen bijna horen.

Ik wist niet wat ik tegen Rini moest zeggen. Ik had haar niet vertrouwd. Ze was bang geweest om mij, brandweermannen hadden hun eigen leven gewaagd voor mij en mijn kinderen, terwijl ik mijn roes uit lag te slapen, veertig kilometer verderop. En Rini was niet eens boos op me.

'Het spijt me dat ik je niet heb gezegd dat ik wegging. Maar ik dacht dat het beter was dat niemand het wist…'

'Meid, ik begrijp het wel. Jij hebt dit niet gedaan, die idioot zit hierachter, hij is schuldig, jij niet. Zie je nu waar je mee te maken hebt? Het is menens. Heb ik ook tegen die agent gezegd die hier was. Dat het tijd wordt dat ze nu eens werkelijk wat gaan doen. Dat het schandalig is dat er eerst slachtoffers moeten vallen voordat ze die dreigementen serieus nemen.'

'En wat zei hij?'

'Dat het nog niet zeker is dat het aangestoken is. Ik zei: nou, neem het maar van mij aan. Maria was niet eens thuis. Hoe kan er dan zomaar brand ontstaan?'

'Ik denk dat híj het in brand gestoken heeft, juist omdat ik er niet was. Uit woede. Ik ben hem een stap voor en dat kan hij niet uitstaan.'

'Hmm. En nu? Hij zal je proberen te vinden. Ik denk niet dat hij zomaar opgeeft.'

Dat geloofde ik ook niet. Als hij een bekende was, zou hij mij zonder al te veel moeite weten te vinden.

Buiten brak de zon door de grijze wolken en de koude noorden-
wind was gaan liggen. De meeuwen begonnen weer voorzichtig te
krijsen. Wolf en Merel stonden klaar bij de deur, met hun winterjassen en kaplaarzen aan, hun gezichtjes weggedoken in dikke
sjaals. Ik trok de laarzen van mijn zus aan en haar lammy, want ik
had geen jas die bestand was tegen zeekou. Ik was eigenlijk veel te
bang om naar buiten te gaan, onbeschermd het weidse strand op,
maar de kinderen stonden te popelen om te rennen en te gillen en
het oude brood aan de schurftige lama's van het Parnassiapark te
voeren. Er kon hier niets gebeuren. Hij wist niet dat we hier waren.
Nog niet. Ik wilde geen gevangene worden van mijn eigen angst, ik
wilde hem trotseren, hem laten zien dat ik gewoon door zou gaan
met mijn leven, op mijn manier, dat ik steeds weer zou opkrabbe-
len, wat hij me ook probeerde af te nemen.

Wolf kon zijn eigen beentjes nauwelijks bijhouden toen hij het
duin af rende, richting de grijsbruine zee en het drillende, vaalgroe-
ne schuim. Merel erachteraan, hollend met kleine pasjes, haar handen in haar zakken. Zo bewust van zichzelf. Vorig jaar nog was ze
één bonk kinderlijke energie, kon ze zichzelf helemaal verliezen in
het rennen en huppelen, maar nu was haar lichaam uitgeschoten,
wist ze zich geen raad meer met die lange, magere, bungelende ledematen. Het ontroerde me om te zien dat haar knieën elkaar ineens in de weg zaten en ik dacht aan mezelf op die leeftijd, hoe onzeker ik was en hoe moeilijk ik het vond om een echt meisje te
worden. Ik had hier net zo achterlijk ingehouden gehuppeld, twintig jaar geleden, en nu fladderde mijn eigen dochter over hetzelfde
strand, langs dezelfde zee. Ik hoopte maar dat ze zich niet net zo
eenzaam voelde als ik destijds. Ik zwierf hier alle dagen rond, weg
van mijn ouders. Ik had zo vaak langs deze duinen gelopen, door
storm en regen en in de zomerse hitte. Steeds weer bedenkend dat
ik langs de rand van Nederland liep.

Merel en Wolf trokken zich niks aan van de kou. Met rode wangen en lopende neuzen zeulden ze met aangespoelde jerrycans, een
houten vlonder, een dik stuk oranje touw, een smerig zeil en een
grote ton. Ze bouwden een vlot. Wolf ging erop zitten en speurde

met zijn handje boven zijn ogen de zee af. Merel roerde met een tak in een blauw plastic bakje, strooide er wat zand in en maakte soep. Ze verloor zichzelf helemaal in haar fantasie en geloofde in haar rol van zeerover. Het kon nog uren duren voordat ze het koud kregen en om ijs of patat zouden beginnen te vragen.

Ik ging tegen het duin aan zitten. De kou trok op uit het vochtige zand en veroorzaakte pijnlijke krampen van mijn baarmoeder, wat me herinnerde aan mijn verloren kind en vervolgens aan al het andere dat ik de afgelopen weken was kwijtgeraakt. Mijn huis, mijn relatie, mijn veiligheid, alles. Was het willekeur, stomme pech, of had ik het allemaal over mezelf afgeroepen?

Ik keek naar mijn kinderen, naar Wolf, die met zijn armen wijd tegen de wind in rende, en naar Merel, die zogenaamd een bos zeewier at alsof het een tropische vrucht was. Het maakte hun allemaal niks uit. Wat er ook gebeurde, ze zouden blijven spelen. Kinderen zijn zo goed in leven, in hun kop stoten, even brullen en weer verder lopen, zo flexibel en sterk. Ze hebben niks nodig, behalve liefde.

Toen ze pas geboren waren, nam ik me voor al mijn liefde te geven. Ik liep over van gevoel, huilde om het nageltje aan hun kleinste teentje, droeg ze maanden dicht bij mijn hart en kon geen genoeg krijgen van hun zoete geur. Mijn neus in hun zachte buikjes, de manier waarop ze ontspanden als ze uit mijn borst dronken, zoals hun vuistjes zich openvouwden en hun oogjes zich sloten, het maakte me zachter en zachter, zo zacht dat ik bijna niet meer kon zingen zonder dat mijn keel opzwol. Ik moest afstand nemen voordat ik helemaal zou verdwijnen, verzwolgen door het moederschap. Ik moest dat podium weer op, de studio in, want ik kon me niet permitteren afhankelijk te worden van Steve, of later van Geert. Zo helder was ik gelukkig nog wel. Het viel niet mee me los te maken, mijn huilende kind achter te laten in de armen van een oppas en de bühne op te gaan als stoere sterke vrouw, met kloppende borsten en zachte moederbuik weggemoffeld in een strakke step-in. Maar toen die stap eenmaal genomen was, de tweede keer wat makkelijker dan de eerste, toen ik merkte dat ik het nog kon, een zaal opzwepen, toen ik mijn energie weer voelde borrelen, aangewakkerd door de beukende bas, toen droogde mijn zachtheid langzaam uit.

Had ik geen tijd meer voor ontroering, verdrong de muziek mijn kinderen van de eerste plaats. Soms vond ik ze zelfs lastig, een extra hindernis op mijn weg. Ik wilde doorbreken en beroemd worden, maar dat gebeurde niet en waar kon ik me beter achter verschuilen dan achter mijn kinderen? De gedachte dat het moederschap mijn carrière in de weg stond was aangenamer dan het idee dat ik misschien wel niet goed genoeg was.

Hier op het strand, terwijl ik zat te rillen van de kou, werd ik weer geraakt door mijn kinderen. Ik vond ze zo mooi en sterk, zo lief en klein. Het was niet zo dat ik niets meer had. Ik had alles wat belangrijk was.

22

Rechercheur Van Dijk was het type man waartegen je vanzelf 'u' zei. Hij was nog geen veertig, maar zag er middelbaar uit met zijn korte, borstelige haren strak in het gelid en zijn bleke, zorgelijke gezicht. Hij schudde me stevig de hand, waarbij hij mijn arm omhoogtrok en mijn middenhandsbeentjes kraakte. Nee, hij had geen moeite gehad dit huis te vinden, hij was er eigenlijk recht op afgereden, het kon niet missen, zoals Duinzicht boven de rest van het dorp uittorende. Dit was toch wel even heel iets anders dan Amsterdam. Rustig, dat wel, maar ook wel erg afgelegen en eenzaam. Zou niks voor hem zijn. Hij hield van de stad met zijn reuring. In de zomer, dan was het hier natuurlijk wel lekker, zo aan het strand. Terwijl ik thee zette, leuterde hij de stilte vol met oppervlakkigheden. Hij had dit waarschijnlijk geleerd op cursus: stel het slachtoffer op zijn/haar gemak met zwetsen totdat de persoon in kwestie zelf aangeeft klaar te zijn voor verhoor.

Wolf en Merel lagen rozig en uitgeput voor de televisie, niet meer in staat om op te kijken en Van Dijk te begroeten. Hij probeerde nog even een kletspraatje met hen, maar hij oogstte uitsluitend geïrriteerde blikken. Toen Merel hem vroeg even opzij te gaan omdat ze de televisie niet meer kon zien, droop hij maar af en nam plaats op de stoel tegenover Ans' fauteuil, waarin ik ging zitten. Ik stuurde de kinderen naar boven, en nadat ik ze een zakje Haribo had beloofd, vertrokken ze, steunend en kreunend.

Ik schonk thee in en gaf een kopje aan Van Dijk, die het naast zich neerzette. Hij haalde een notitieblok uit zijn binnenzak, trok zijn broek bij zijn knieën een beetje omhoog en boog naar voren, in mijn richting.

'Tja, mevrouw Vos, dat moet een afschuwelijk bericht voor u geweest zijn, dat uw huis is afgebrand…'

'Ja, dat kunt u wel zeggen.' Ik pakte een sigaret en hij had zijn aansteker onmiddellijk in de aanslag. Ik boog voorover, stak mijn peuk in zijn vuurtje en inhaleerde krachtig. Toen ik overeind kwam, zag ik dat hij in mijn decolleté keek.

'Er is besloten dat ik het onderzoek naar de brand overneem van collega Wittebrood. Hij heeft mij verteld over uw bezoek aan ons bureau en het telefoongesprek dat u met hem hebt gehad na het incident met De Korte, de begrafenisondernemer. Nu heeft mijn collega uw melding van de pesterijen nog niet vastgelegd, dus is het misschien verstandig als u uw verhaal nog een keer in zijn geheel aan mij zou vertellen.'

Ik vertelde hem over de dreigbrieven, over de rat, de foto's van de geaborteerde baby's, de hele toestand met die lijkwagen voor mijn deur en dat ik zo bang geworden was, dat ik met de kinderen halsoverkop mijn eigen huis ontvluchtte. Van Dijk schreef alles op, tussendoor opkijkend en begripvol knikkend.

'Wonderlijk. Ik vrees dat we hier te doen hebben met een gecompliceerde kwestie. U zegt zelf niet te weten wie u dit aandoet…'

Ik schudde mijn hoofd. 'Daar word ik ook zo paranoïde van. Ik heb het gevoel dat ik niemand meer kan vertrouwen. Het zou iedereen kunnen zijn. Maar dan denk ik weer: niemand in mijn omgeving heeft een motief om mij zo intens te haten.'

'U woont niet meer bij de vader van uw kinderen?'

'Nee. Mijn relatie met de vader van Wolf is net verbroken en de vader van Merel zie ik al heel lang niet meer. Hoewel hij sinds kort weer in Amsterdam woont…'

'Hebt ú de relatie met de vader van Wolf verbroken?'

'Ja. Maar hij zit hier niet achter. Hij heeft alle reden om boos op me te zijn, maar hij is ook een watje. Hij zou nooit iets gewelddadigs doen, of ermee dreigen.'

'Waarom, als ik zo vrij mag zijn, hebt u de relatie verbroken?'

Ik staarde naar de verkoolde stukken hout in de open haard. Buiten begon de regen weer tegen de ramen te kletteren, wat overging in het razende getik van hagel. Ik realiseerde me dat alles wat ik over Geert zou zeggen, tegen hem pleitte. Lieve, dunne, gekke Geert. Ik dacht ineens aan zijn handen, zijn lange, knokige vingers om mijn billen en borsten, de gretigheid waarmee hij zich vastgreep aan mijn lijf.

'Hij was depressief. En ik kon er niet meer tegen. Hij weigerde hulp te zoeken en ging steeds meer drinken. Er was op het laatst gewoon niet meer met hem te leven. Ik had het gevoel dat hij me helemaal leegzoog. Ik moest wel stoppen met die relatie, voordat hij mij en de kinderen ook het dal in zou sleuren.'

'U zegt dus dat uw ex-partner geestelijk labiel was. Dat hij dronk. U hebt een abortus ondergaan… Ik neem aan dat het kind van hem was?' Ik knikte. 'Was die abortus een gezamenlijke keuze?'

'Nee. Ik heb hem er pas over verteld nadat ik het had laten weghalen. Ik wist dat hij het kind had willen houden… Hij werd woedend. Hij gooide van alles door de kamer.'

'U zei net dat hij nooit iets gewelddadigs zou doen.'

'Dit was geen geweld. Hij voelde zich machteloos. Hij deed het uit frustratie.'

'En u ontving de eerste brief…'

'Vier dagen later.'

'Kunt u mij de brieven geven?'

Ik begon te blozen. 'Nou, het probleem is… Ik ben bang dat ze verbrand zijn. De brieven lagen nog in mijn huis in Amsterdam. Ik had ze verstopt voor de kinderen en toen ik vertrok, dacht ik er niet aan ze mee te nemen.'

Van Dijk fronste. Ik zag aan zijn gezicht dat hij mij maar een raar mens vond. 'Dat is zeker jammer, mevrouw Vos, want die brieven waren het enige bewijsmateriaal. U hebt ze wel aan de heer Wittebrood laten zien?'

'Ja.'

Hij schreef iets op en bladerde vervolgens terug in zijn blok.

'Ik zal eerlijk tegen u zijn. We hebben niks in handen waar we iets mee kunnen. Ik heb vanochtend een lijst ontvangen van alle inkomende gesprekken bij De Korte en daaruit blijkt dat de melding van uw overlijden gedaan is met het mobiele nummer dat op uw naam staat. En de brand in uw huis aan de Vondelkerkstraat is niet aangestoken, maar zeer waarschijnlijk veroorzaakt door onprofessioneel aangelegde keukenlampjes die zijn doorgebrand, waardoor de kastjes vlam hebben gevat. Daarnaast stond vermoedelijk het gas open, met een explosie als gevolg. Vervolgens is het mogelijke bewijsmateriaal vernietigd. Oftewel, we hebben niets. Behalve een aanklacht van De Korte tegen u.'

23

Nadat Van Dijk was vertrokken, tolden mijn gedachten in duizelingwekkende vaart door mijn hoofd. Brand. Keukenkastjes. Licht aan. Had ik het licht aan gelaten? Ik wist zeker van niet. Aan de andere kant wist ik niets meer zeker. Iemand was in mijn huis geweest. Had gebeld met mijn mobiele telefoon. Die nacht, toen ik de gang niet op durfde en Merel en Wolf bij mij in bed lagen, was hij beneden geweest. Had hij gebeld met de begrafenisondernemer. Hij wilde me niet alleen doodmaken, maar ook dat iedereen mij voor krankzinnig versleet. Dat was de bedoeling.

Koud zweet kroop over mijn rug en de thee die ik had gedronken, kwam weer omhoog. Ik duwde mijn vuisten in mijn buik en boog voorover, in een poging mezelf weer onder controle te krijgen. Iedereen van de band had de rat gezien. Geert had de brieven gelezen. Wittebrood had de brieven gelezen. Ik was niet gek. In de ogen van Van Dijk zag ik dat hij me niet geloofde. Dat hij me zielig vond. Dat hij vermoedde dat ik geestelijk niet in orde was en als een schreeuw om aandacht een stalker in het leven had geroepen. Waarschijnlijk had hij mijn doopceel gelicht en was erachter gekomen dat mijn moeder aan paranoïde schizofrenie leed. Dat ze had gedacht dat wij haar wilden vergiftigen. Dat ze daarom had geprobeerd mijn vader te vermoorden.

Wist ik maar wat ik moest doen. Wist ik maar waarom hij mij moest hebben. Wist ik maar wíe mij moest hebben. Het moest iemand zijn die mij kende. Ik kon niet langer om Geert heen. Hij had een sleutel van mijn huis. Hij kende de geschiedenis van mijn moeder. Hij had de keukenlampjes aangelegd.

Plotseling dacht ik aan Martin en zijn kinderwens. Martin, die de erfenis had geregeld. Ook hij wist alles van mij en mijn zus. Hij had een deel van mijn erfenis belegd in fondsen, voor mijn kinderen. Hij zat in de problemen. Als hij mij uit de weg ruimde, erfde mijn zus mijn huis, mijn spullen, en kreeg ze de voogdij over Wolf en Merel. Geert zou het aanvechten, maar dat kreeg hij nooit voor elkaar met zijn levensstijl.

Of Steve. Alles was begonnen vanaf het moment dat hij ineens weer opdook. Maar waarom zou Steve zoiets doen? Nee, ik kon hem onmiddellijk van mijn verdachtenlijstje schrappen. Steve was te lui en te egocentrisch voor dit soort acties.

Hier moest ik mee stoppen. Het was waarschijnlijk precies de bedoeling van mijn stalker dat ik me tegen mijn dierbaren zou keren. Dat ik me steeds meer zou isoleren van iedereen. Híj was gek. Niet ik. Hij wilde me laten zien hoe dichtbij hij kon komen. Hoezeer hij de touwtjes in handen had, dat ik niet aan hem kon ontsnappen, dat niemand mij zou geloven, dat zelfs de politie mij niet kon beschermen.

Ans kwam vloekend en zuchtend thuis. Ze schopte haar schoenen uit in de hal, hing haar natte jas aan de kapstok, trok haar pantoffels aan en slofte mopperend naar binnen.

'Die klerefile. Daar word je toch helemaal gestoord van. En dan met dat rotweer.' Ze wierp zichzelf in haar stoel, draaide een rondje en sloot haar ogen. 'Ik ben kapot.' Haar lange haren kleefden in pieken aan haar gezicht. Terwijl ze onderuit in haar stoel hing, zag ik dat ze op papa leek. Haar kaaklijn was strakker dan de mijne en ze had een scherpere neus dan ik. Haar huid was glad en bijna doorschijnend zo dun, dat had ze weer van onze moeder. Ik was veel ronder dan zij.

'Mag ik een sigaret?' vroeg ze, nog steeds met haar ogen dicht. Ik wilde met haar praten. Haar zeggen wat een ramp me vandaag was overkomen. Maar ik bemerkte ineens weer kilometers afstand. Ik voelde me het kleine zusje dat in de weg liep. Ik was ook bang dat ze, als ze dit verhaal zou horen, zou denken dat Van Dijk gelijk had. Dat het haar zou herinneren aan wat er met onze moeder was gebeurd.

Ans liep naar het raam en keek naar de duinen, met haar handen om haar middel geslagen.

'Het is niet te geloven wat voor shit ik af en toe te horen krijg,' begon ze voor zich uit te praten. 'Vandaag drie moeders met hun kinderen op consult gehad. De ene is aan de drugs en leeft haar frustraties uit op haar vierjarige dochtertje, de andere heeft haar dertienjarige dochter laten misbruiken door haar vriend, de derde zuipt zich klem en veroorzaakt met drie kleine kinderen achter in de auto een dodelijk ongeluk. En alle drie beweren ze zoveel van hun kinderen te houden. Smeken ze om weer voor hen te mogen zorgen. Ze stinken nota bene naar de drank! Allemaal kinderen die naar de verdommenis gaan. Je kijkt naar die brutale, wezenloze smoeltjes en je ziet niks, geen leven, geen emoties meer in die ogen.'

Ik ging naast haar staan.

'Wat een ellende. Ik vind het ongelooflijk dat jij het steeds weer kunt opbrengen zo voor anderen te zorgen. Als kind deed je dat al... Ben je er niet een keer klaar mee?'

Ans haalde haar schouders op. 'Nee, nog lang niet. Als iemand weet hoe ongelukkig deze kinderen zijn, ben ik het. Ik weet hoe ze zich voelen. Ik weet hoe moeders manipuleren en hun kinderen gebruiken. Daarom ben ik de aangewezen persoon om ze te helpen. Niet dat ze er wat mee opschieten, want ze zijn al te zeer gevormd door verwaarlozing en mishandeling. Maar als ik ze even dat gevoel van veiligheid kan geven, het gevoel dat iemand zich om hen bekommert, dan heb ik mijn doel bereikt.'

Samen keken we naar het heen en weer zwiepende helmgras en de wolken die over zee gejaagd werden. Ik vond het onbegrijpelijk dat Ans zo bleef hangen in de pijn van onze jeugd door hier te blijven wonen en te werken met beschadigde kinderen.

'Maar goed,' zuchtte ze. 'Hoe is het hier? Wie is hier op bezoek geweest? Ik zag de theekopjes in de keuken…'

'Iemand van de politie.'

Ze keek me vragend aan. 'Hebben ze hem?'

'Nee. Integendeel. Het wordt allemaal alleen maar erger. Mijn huis is vannacht afgebrand.'

Toen ik het zei, bibberde mijn stem. Ans sloeg haar hand voor haar mond.

'Meisje, toch,' fluisterde ze. 'Wat een toestand. Wat erg. Hoe is dat nou mogelijk…'

Ik ging op de bank zitten.

'Ik ben bang,' zei ik en ik schonk mijn glas vol witte wijn. Ans kwam voor me staan, legde haar vinger onder mijn kin en keek me streng in de ogen. 'Je hoeft niet bang te zijn. Je bent bij mij, ik zorg voor je. Ik neem deze week vrij en ik regel alles. Laat het allemaal maar aan mij over. Jij gaat bijkomen.'

Wolf kroop bij me op schoot en gaf me kusjes.

'Nu niet meer verdrietig zijn, mama,' zei hij met zijn liefste stemmetje en ik lachte en drukte hem tegen me aan.

'Nee. Je hebt gelijk. Nou gaan we weer lachen.' Ik kietelde zijn bolle buik, waardoor hij knorde van plezier.

'Is het aangestoken?' vroeg Ans, terwijl ze rondliep en het rondslingerende speelgoed van de kinderen opraapte.

'Ze weten het nog niet zeker. Volgens de politie is het vuur ontstaan doordat de peertjes die Geert onder de keukenkastjes heeft aangelegd, een gat hebben gebrand in het hardboard van de keukenkastjes. Ook het gas van de oven stond nog aan. Toen is de boel geëxplodeerd. Maar ik weet zeker dat ik het licht heb uitgedaan voor ik vertrok. Overdag laat ik de keukenlampjes sowieso niet aan. Hij moet in het huis geweest zijn en geweten hebben dat die peertjes door de kastjes heen konden branden. Dat moet bijna wel.'

'Hoe heeft Geert het in godsnaam in zijn hoofd gehaald om dat soort lampjes onder de kastjes te monteren? Wat een idioot. Dat weet toch iedereen, dat dat niet kan?'

'Hij vond het tl-licht zo koud en lelijk als we 's avonds in de keuken zaten. Op een zondag heeft hij die tl-buizen vervangen door fittingen met flamelampjes.'

'Hoe lang geleden heeft hij dat gedaan?'

'Ik weet het niet precies… Een maandje geleden, denk ik.'

'Vlak voor jullie uit elkaar gingen?'

'Ja.'

'Je hebt je huis toch niet ook op zijn naam laten zetten?'

'Nee. Dat wilde ik niet. Hij heeft Wolf erkend, maar verder hebben we niks officieels.'

'Maar hij wilde het wel?'

'Hij vond dat ik hem niet vertrouwde. Hij wilde dat we alles deelden. Een gezamenlijke bankrekening, een huis dat van ons samen was, trouwen.'

'En waarom wilde jij dat niet?'

'Dat huis is van mij. Het is het enige wat ik van pa en ma heb. Ik weet het niet, het was een gevoel…'

Ik wilde haar liever niet vertellen van zijn depressies. Ik wilde niet dat zij me zag als 'een geval', een vrouw die steeds weer de foute mannen kiest. Ik had Geert jarenlang lopen verdedigen en nu kon ze zeggen: 'Zie je wel, had ik het niet gezegd!' Maar ik kon er niet omheen. Ik wilde eerlijk tegen haar zijn. Hoe beroerd mijn situatie nu ook was, het positieve eraan was dat wij elkaar weer hadden gevonden. Dus vertelde ik haar van Geerts slapeloze nachten, zijn angstaanvallen, zijn drankmisbruik. Dat hij niet altijd zo was geweest, integendeel, in het begin van onze relatie was hij lief en zorgzaam. En dat ik ook niet wist waarom het misgegaan was, waarom hij zo depressief en bang was, dat ik heel lang de oorzaak ervan bij mezelf had gezocht en er alles aan had gedaan om hem van mijn liefde te overtuigen. Behalve mijn huis met hem delen.

Ans zweeg. Toen ik uitgepraat was zei ze alleen maar dat Geert gelijk had. Ik had niet genoeg van hem gehouden. Als ik werkelijk van hem hield, was ik wel met hem getrouwd, en had ik mijn huis met hem gedeeld.

We kookten samen. Ans hakte de knoflook en peterselie, ik sneed de sla en tomaten, klopte van olijfolie, zout en citroensap een dressing, zij bakte de spekjes en de champignons en mengde die met kaas en ei door de pasta. Ik had een cd van Billie Holiday opgezet en zong zachtjes met haar mee.

Merel stormde de keuken binnen en begon commentaar te leveren op die 'gekke ouwewijven'-muziek. We zetten het eten op tafel terwijl Merel de radio aanzette en driftig aan de tuningknop begon te draaien, op zoek naar iets moderners. Ik zei haar dat die herrie uit moest omdat we rustig wilden eten. Maar Merel had geen zin in rust, ze sprong om de tafel, showde haar danspasjes, en omdat niemand echt naar haar wilde kijken, begon ze Wolf van zijn stoel af te trekken. Hij eindigde huilend op de grond en ik begon te schreeuwen tegen Merel, die terugkrijste dat ze er niks aan kon doen, totdat Ans de stekker van de stereo uit de muur trok en ons allemaal vriendelijk verzocht aan tafel te komen. Mokkend gingen de kinderen zitten, met de armen over elkaar geslagen, niet van plan ook maar een hap te nemen. Mijn bloed kookte.

'Jongens, jullie moeder is een beetje moe en verdrietig. Jullie moeten maar proberen lief voor haar te zijn,' zei Ans, en ze schepte bij iedereen de dampende pasta op. Merel keek me aan, met haar donkere blik, haar zwarte wenkbrauwen overdreven gefronst.

'En ik dan, hè? Alsof ik zeker niet verdrietig ben. Zij denkt altijd alleen maar aan zichzelf. Daarom zijn we hier en heb ik geen vriendinnen en mag ik niet naar mijn muziek luisteren. En nou is ons huis ook nog eens weg. Moeten we zeker straks hier wonen. Nou, als je maar niet denkt dat ik dat doe!'

'Nee! En ik ook niet!' riep Wolf met haar mee om ons te laten weten dat hij er ook nog was. Ik wist niet meer wat ik moest zeggen of doen om deze crisis te bezweren. Om er in ieder geval de kinderen zo min mogelijk onder te laten lijden. Ik was op. In mijn hoofd zat niks meer behalve snot en tranen.

Ans kneep zachtjes in mijn hand. 'Jullie hoeven hier helemaal niet te wonen. Dit is een logeerpartijtje, totdat jullie huis weer helemaal opgeknapt is. Zie jullie bezoek hier maar als een vakantie.'

'En Sinterklaas dan?' vroeg Wolf. 'Die komt straks bij ons huis en dan zijn wij er niet. En het huis is er ook niet. En hoe moet hij ons dan die cadeautjes geven?'

'Ik denk dat Sinterklaas jullie wel weet te vinden. Je moeder en ik hebben hem allang verteld dat jullie hier zijn.'

Merel begon te huilen.

'Dat stomme kutgedoe. Mis ik het feestje van Zoë…' Ze stortte zich snikkend in mijn schoot. Ik streelde haar krullen en beloofde haar dat het allemaal goed kwam. Toen ging mijn telefoon over. 'Geert' stond er op het scherm.

'Maria, wat is er in godsnaam allemaal aan de hand! Waarom neem je niet op! Waar ben je!'

Ik hoorde zijn stem trillen.

'Sorry Geert, ik had je moeten bellen…'

'Moeten bellen? Ons huis is afgefikt! Waarom denk je dat ik wel honderd keer op je voicemail sta! Jezus, interesseert het je dan niks dat ik me ongerust maak?!'

'Het spijt me…'

'Hoe kan dat nou! Dat de boel in de hens vliegt!'

'Het kwam door de lampjes die jij vervangen hebt, weet je wel?'

'Donder op, dat kan helemaal niet.'

'En het gas stond open…'

'Dat kan niet! Hoe is het mogelijk… Heb je het gas aan laten staan?'

'Nee. Voor ik wegging, heb ik de lichten uitgedaan, en ik weet zeker dat het gas niet aanstond.'

'Wie zegt dat het zo is gegaan?'

'De politie. Die is hier vanmiddag geweest.'

'Shit.' Ik hoorde hem zuchten, zijn keel schrapen, zijn neus ophalen. Hij zweeg en ik kon voor me zien hoe hij erbij zat. Rug gebogen, hoofd voorover, ogen gesloten, peuk in zijn rechterhand, hoorn in zijn linker, elleboog op zijn knie. Op de achtergrond klonk Nick Cave, dus ik kon wel raden dat het niet goed met hem ging.

'Denk je dat híj het gedaan heeft?'

'Ja.'

'Ik móet met je praten. Ik wil je zien. En Wolf en Merel. Dat moet. Je mag me niet meer buitensluiten, Maria.'

Zijn smekende stem ontroerde me en ik kon het niet over mijn hart verkrijgen hem af te wijzen.

'Ik weet het niet, Geert, of dat nu zo'n goed idee is.'

'Je denkt toch niet dat ík hier iets mee te maken heb?'

'De politie denkt van wel.'

'De enige die ze op dat idee gebracht kan hebben ben jij.'

Ik wilde ook met hem praten, hoewel ik besefte dat dat niet verstandig was. Ans schudde haar hoofd en keek me aan alsof ik vrijwillig mijn hoofd op het hakblok legde.

'Ik wil wel ergens afspreken.'

'Waar ben je?'

'Dat maakt niet uit. Laten we elkaar ontmoeten op het Centraal Station.'

'Oké, oké. Morgen ben ik er. Restaurant Eerste Klas. Om een uur of twaalf. Mag ik Wolf even spreken?'

Het deed me pijn om nee te zeggen, maar ik wist dat Wolf binnen de kortste keren zijn mond voorbij zou praten.

Ik hing op, draaide me om naar Ans, die me ziedend aankeek en met haar hoofd richting de gang wenkte. Ik liep achter haar aan, als een ondeugend kind in afwachting van een standje.

Ze stond stil in de hal, haar armen over elkaar heen geslagen.

'Ben je helemaal gek geworden?!' beet ze me toe. 'Hoe haal je het in je hoofd met hem af te spreken? Je hebt me verdorie nog geen uur geleden zitten vertellen wat een idioot hij is! Hij is verdachte nummer één! Hij speelt een spelletje met je en ik ga niet toe staan kijken.'

'En wat bedoel je daarmee?'

Ze zuchtte en plantte haar handen in haar zij. 'Als je naar hem toe gaat, hoef je niet meer terug te komen. Dan zoek je het maar uit.'

Ik ontplofte bijna en kreeg ontzettende zin om die misprijzende trek van haar gezicht te slaan. 'Doe normaal, Ans! Ik ben volwassen! Jij kunt mij niet de wet voorschrijven. Dit kun je niet doen!'

'Nee, ik kan jou niet de wet voorschrijven, maar ik heb wel mijn eigen grenzen. En die zijn bereikt. Ik help je, je mag bij mij schuilen en uitrusten, maar niet als je doodleuk weer gaat zitten aanpappen met degene die je dit allemaal aandoet. Denk toch ook voor één keertje aan je kinderen!'

'Geert doet dit niet! Hij is niet in staat tot zoiets. Ik weet het zeker.'

'Maria… Doe toch niet zo vreselijk naïef.'

Driftig beende ze weg en in de keuken klapte ze in haar handen.

'Zo, kindertjes. Tante Ans brengt jullie naar bed. Ik ken een heel mooi verhaal en dat ga ik vertellen, als jullie nu jullie pyjamaatjes aantrekken.'

Ze kwam niet meer beneden. Ik ruimde de tafel af, deed de afwas, zette koffie, stak de kaarsen in de kamer aan, gooide hout op het vuur en wachtte op haar om te praten, haar uit te leggen waarom ik Geert wel vertrouwde, maar ze liet me gewoon alleen zitten.

Uiteindelijk zette ik de televisie aan en ik keek naar een of ander dom programma over zes jongeren in een luxe villa in Spanje die met elkaar het bed in doken alsof het niets was en daarvan graag de hele wereld op de hoogte stelden. '*It's all just a game,*' zei een irritant zelfverzekerde jongen lachend. Hij maakte me woedend. Alles maakte me woedend. De jongen die voor de camera smerige spelletjes speelde met zijn huisgenotes. De mensen die hiernaar wilden kijken. De oprukkende ranzigheid in deze wereld. Het feit dat psychologische spelletjes blijkbaar tot volksvermaak verheven waren. Mijn zus met haar halsstarrige betweterigheid, die verongelijkte kop van haar. Maar ik was vooral kwaad op mezelf.

24

Ik kon niet slapen. Ik was zo opgefokt dat al mijn spieren protesteerden tegen ontspanning. Ik besloot op het balkon nog een sigaret te roken, met het dekbed om me heen geslagen. De wind was gaan liggen en de hemel was bezaaid met sterren. Als kind zag ik vanaf dit balkon iedere week wel een vallende ster, Ans nooit, en daar kon ze woedend om worden. Maar ik had nu eenmaal het geduld om uren naar de lichtjes te staren, dromend over wat dat eigenlijk was: oneindigheid. Zij had het te druk met haar schoenen op een rij zetten en haar poppen in het gelid.

Ik miste mijn huis. Mijn woonkamer met mijn oude, rode fauteuil, waar ik het liefst dwars in hing, met mijn benen over de versleten armleuning. Mijn muziek. Ann Peebles. Fluisterend zong ik 'Steal Away' voor me uit. *I have to see you, somehow, wooh, not tomorrow, but right now.*

Ik werd er alleen maar triester van. Ik verlangde naar mijn leven in Amsterdam. Door de stad fietsen en boodschappen doen op de Albert Cuyp. Repeteren met de band en bekvechten met Martin. Daarna borrelen in 't Loosje. In mijn eigen keuken frites bakken voor de kinderen. Ik had eigenlijk best een leuk leven. Het was goed om een paar keer per week op te treden met de band, geld te verdienen als voice-over en verder vrij te zijn met de kinderen. Ik leefde gewoon, zonder er al te veel bij na te denken. En ineens was me dat allemaal afgenomen. Ik had niet eens de tijd om te treuren om mijn verloren kind en mijn verloren liefde. Wat wilde hij van mij? Waarom? Had Ans gelijk en moest ik echt bang zijn voor Geert? Was ik ooit bang voor hem geweest?

Ja, één keer, en dat was niet eens zo lang geleden. In een vlaag van jaloezie had hij de theepot van tafel geveegd en een bord naar mijn hoofd gegooid. Hij had te veel gedronken en toen hij thuiskwam, zat ik met Martin aan de telefoon. We lachten om iets onbenulligs en hij dacht dat hij uitgelachen werd. Toen was ik bang voor hem. Het was eigenlijk de druppel. Vanaf dat moment wist ik zeker dat we zo niet verder konden gaan. Dat ik een keuze moest maken.

Ik rilde, ondanks het dekbed, en ging weer naar binnen. Daar lagen Merel en Wolf naast elkaar te slapen. Rustig en vol vertrouwen. Ik ging op hun bed zitten en streelde Wolfs warme, zachte wang. Ik vond ze zo kwetsbaar, zo teer, zo onschuldig. Misschien had Ans gelijk. Misschien was het inderdaad beter om voorlopig uit Geerts buurt te blijven.

Het was inmiddels halfdrie 's nachts en ik had een uur staan dubben of ik het zou doen. Maar het moest. Ik zou niet kunnen slapen voordat ik haar had gesproken. Ik kon er niet tegen dat ze boos op me was. Ze zou het heus wel begrijpen als ik haar wakker maakte.

Angst had mijn hele lichaam in zijn greep en ik moest het kwijt, ik moest met iemand praten. Ik wilde zeker weten dat ik niet alleen was, dat ze zich niet definitief tegen me had gekeerd.

Ik liep op blote voeten, die inmiddels zo koud waren dat ik ze nauwelijks nog voelde, de trap af. Voor de deur van haar slaapkamer stond ik stil. Waar sloeg dit op? Ik was volwassen en nu stond ik op het punt me als een bange kleuter aan mijn grote zus vast te klampen. Wat was er met me aan de hand? Ik begon te beven en te snikken en zakte door mijn knieën langs de muur op de grond. Ik durfde niet bij haar aan te kloppen, niet toe te geven hoe bang ik was en niet te vragen om troost.

Haar bed kraakte en ik hoorde voetstappen op de houten vloer. De deur ging open. Ik zag aan haar gezicht dat zij ook niet had geslapen.

'Maria, wat is er?'

'Sorry, hoor. Dat ik je wakker maak. Maar ik kon niet slapen. Ik wil geen ruzie met je.'

'Kom even zitten. Het geeft niets. Ik slaap toch niet.'

Ik ging naast haar zitten op haar bed.

'Hier, neem een slokje.'

Ze gaf me een glas water en sloeg haar ochtendjas om me heen. Ik keek naar de foto's op haar nachtkastje. Eentje van hen beiden, aan het strand op een zonnige dag. Ans hing in een rood badpak tegen Martins bruine, tanige lijf. Zij glimlachte, hij keek ernstig. Zijn blonde haren waren achterovergekamd, hij fronste en kneep zijn ogen tot spleetjes tegen de zon. Hij had iets duivels. Ik had het nog nooit in hem gezien, maar op die foto had zijn gezicht iets van een havik. Een scherpe neus, zware wenkbrauwen en diepe plooien langs zijn mond.

De andere foto was een familieportret van ons gezin. Mijn vader trots en stralend achter mijn moeder, die een beetje afwezig glimlachte terwijl ze haar armen om een slapende baby klemde. Ons broertje. Aan weerskanten van mijn moeder stonden Ans en ik. Ans, een jaar of tien, onhandig lang en mager in een afschuwelijk tuttige roze jurk, keek somber in de camera. Ik aan de andere kant, een mollige peuter in een protserig wit jurkje, verlegen glimlachend aan de hand van mijn vader. Vijfentwintig jaar geleden moest deze foto zijn gemaakt. 1976. De tijd van spijkerbroeken met soulpijpen, bruin met oranje, plateauzolen en bakkebaarden. Maar niet bij ons thuis. Wij liepen in de kitscherige jurken die mijn moeder driftig achter haar naaimachine in elkaar flanste van goedkope, synthetische stoffen.

'Ik had niet zo boos moeten worden. Sorry.'

Ans legde haar hand op mijn knie, die schokte door haar aanraking. 'Wat ben je gespannen,' zei ze, en ze kroop achter me. Ze ontblootte mijn schouders en begon ze zachtjes te masseren.

'Je zit helemaal vast. Laat die armen nou eens los. Nek los. Je hebt ook nogal wat mee te zeulen.'

Met haar duimen draaide ze rondjes in mijn nek, richting mijn schouderbladen, waarna ze krachtig langs mijn nek- en rugwervels naar beneden wreef. Ik werd er alleen maar meer gespannen van.

Ik hield helemaal niet van dit soort intimiteiten met vrouwen, al was ze dan mijn zus. Maar ik durfde haar niet te vragen of ze op wilde houden.

'Ik dacht dat jij nog wel naar beneden zou komen om te praten,' begon ik.

'Het werd me allemaal even te veel. Zeg nou zelf, Maria, het is niet verstandig om met Geert af te spreken.'

Ze trok met haar vingers aan mijn vel en dat deed pijn. Ik schudde me van haar los en trok de ochtendjas weer over mijn schouders.

'Mag ik hier roken?'

'Vooruit. Maar wel bij de deur.' Ze stond op om de balkondeur te openen en gebaarde dat ze ook een sigaret wilde.

'Geert is het niet. Ik weet niet waarom ik daar zo zeker van ben, maar ik denk niet dat het iemand is die ik persoonlijk ken. Hij is een psychopaat die erop kickt om vrouwen bang te maken... Ik las laatst in de krant dat die ene van de Spice Girls ook zo'n idioot achter zich aan heeft. Zoiets is het. Een of andere stumper die denkt dat hij en ik een "speciale" band hebben. Die over mij fantaseert...'

Ans keek me meewarig aan. 'Ik denk dat jij dat wílt geloven. Maar laten we eerlijk zijn, jij bent geen Spice Girl. Je komt niet op tv, jouw privé-leven staat niet in alle bladen. Het is natuurlijk een vreselijk idee dat iemand van wie je hebt gehouden en die je vertrouwt, nu je leven bedreigt. Maar je moet wel reëel blijven... Ik zie iedere dag vrouwen die mishandeld en bedreigd worden door hun ex. Mannen die doorslaan als hun vrouw besluit hen te verlaten. Ook intelligente, succesvolle mannen, tandartsen, kunstenaars, managers, mannen in alle soorten en maten die het niet kunnen uitstaan dat hun vrouw zonder hen verder wil of dat ze een ander boven hen verkiest. De meest logische verklaring is en blijft toch dat Geert hierachter zit…'

'Maar waarom belt hij me dan? Waarom is hij zo oprecht overstuur?'

'Misschien heeft hij spijt. Dat zie je vaak bij die kerels. Eerst rammen ze hun vriendin in elkaar en daarna beginnen ze te grienen omdat het ze zo spijt. En een dag later doen ze het weer. Het zijn mannen met twee gezichten, die hun emoties niet in evenwicht hebben. Enerzijds haten ze hun vrouw, anderzijds adoreren ze haar. Ze willen haar vermoorden, maar ook liefhebben.'

Ik dacht aan de ruzies die Geert en ik het afgelopen halfjaar hadden. 's Nachts wanneer we thuiskwamen na een optreden en hij me verweet te flirten met iemand uit het publiek of van de band. Eén keer was hij zo kwaad geworden omdat ik had staan kletsen met een jongen die zijn hand op mijn kont had gelegd, dat hij met zijn vuist dwars door de linnenkast sloeg en zijn pols brak, waarna hij zes weken niet had kunnen spelen.

Maar hij had mij nooit pijn gedaan. Hij kwelde vooral zichzelf.

Mijn voeten werden koud. Ik liep naar het bed en ging zitten met mijn voeten onder mijn benen. Er verschenen zilveren spikkeltjes voor mijn ogen. Ik schudde mijn hoofd en toen daalden er meer spikkeltjes neer, net als sneeuw.

'Je bent moe hè?' Ans pakte twee kussens en schikte ze achter mijn rug. 'Je bent zo moe, Maria. Laat het allemaal maar even los. Je bent hier veilig. Ik blijf bij je.'

Ik plofte in de kussens, het voelde alsof ik in een grote berg veren viel en maar bleef vallen, terwijl wit dons om me heen dwarrelde en Ans me van ver weg toesprak.

'Ga maar slapen.'

De kinderen. Ik wilde de kinderen niet alleen laten. Ik probeerde overeind te komen, maar ik kreeg geen grip. Ik zweefde en had geen kracht meer. Ergens tussen de veren zweefden Merel en Wolf. Daarna zwom ik, in ijskoud, donker water. Ik hoorde mijn kinderen roepen en vechten tegen het water, want ze konden niet zwemmen, maar ik zag ze niet, want het water werd zwart.

25

Het bed was drijfnat. Mijn haren plakten aan mijn gezicht en ik werd rillend wakker in een klamme, koude badjas. Er was iets met mijn hoofd. Boven mijn linkerslaap klopte en schrijnde het. Ik tastte met mijn vingers naar mijn voorhoofd en voelde iets kleverigs. Bloed. Er zat overal bloed. Niet alleen op mijn hoofd, maar aan mijn handen, op mijn kussen, in mijn haren. Ik probeerde te schreeuwen maar mijn keel was rauw, alsof ik al uren had liggen gillen. Ik keek naar mijn handen en zag dat mijn nagels gebroken waren. Mijn vingertoppen waren rauw en rood.

De slaapkamer van Ans was één grote puinhoop. Haar lichtroze linnen gordijnen hingen rafelig aan de roede, een kristallen karaf lag in stukken op de grond, de leeslampen aan weerskanten van het bed waren omgevallen en al haar kleren lagen buiten de kast. Op de witgestuukte muren, bij het hoofdeinde van het bed, zaten bloederige strepen.

Wat was hier in godsnaam gebeurd? Ik kon me alleen maar herinneren dat ik in slaap was gevallen en de hele nacht de vreselijkste dromen had gehad. Verder niets. Mijn hart klopte zo hard onder mijn borst, dat ik er bang van werd. Het voelde alsof er een trein door mijn lichaam raasde. Een trein van paniek. Ik wilde weg uit deze kamer, uit dit huis, zo ver mogelijk hiervandaan. Ik stortte me op de deur, die op slot zat, en begon eraan te trekken en erop te bonken, hysterisch bijna, en ik riep Ans, ze moest me komen helpen, als ze er tenminste nog was.

Er kwam niemand. Ik zat opgesloten. Het klopte steeds heviger in mijn hoofd en ik zakte langs de deurpost door mijn knieën. Ik voelde weer aan de wond boven mijn slaap. Hij was gezwollen en schoot vol pijn als ik er even op drukte. Ik hees me op aan de wastafel naast de deur, en keek in de spiegel erboven. Ik schrok van de aanblik van mijn gewonde hoofd en de panische blik in mijn ogen. Aan de linkerkant van mijn voorhoofd zat een grote wond, omgeven door geronnen bloed. Mijn linkeroog was rood en dik. Mijn hele gezicht zat onder de bloedvegen, mijn haren plakten ervan aan elkaar. In de spiegel zag ik een waanzinnige. En ik bemerkte opgedroogd schuim rond mijn mond.

Bibberend pakte ik een washand uit het scheef hangende, pitrieten rekje naast de wastafel en draaide de kraan open. Koud, helder water. Ik liet het over mijn polsen en mijn handen stromen. Spoelde de smaak van bloed uit mijn mond en depte de vegen van mijn gezicht. Ondertussen ademde ik diep in, zo diep mogelijk, en blies weer krachtig uit, om een beetje controle over mezelf te krijgen.

De kinderen, daar ging het nu om. Ik moest mezelf bij elkaar houden en een plan maken om hieruit te komen. Waar waren ze? Het was zo angstaanjagend stil in huis. Misschien waren ze weg. Had hij ze meegenomen. En Ans? Waar was Ans? Ze was bij me geweest toen ik in slaap viel. Dit was haar kamer. Ik durfde de gedachte over wat er met haar gebeurd kon zijn niet toe te laten.

Ik keek naar de deur en zag een plukje blond haar vastzitten in een grote bloedvlek op de deurpost. Mijn haar. Of dat van Ans. Waarschijnlijk van mij. Kennelijk had ik met mijn hoofd tegen het hout staan bonken. Voorzichtig probeerde ik nog één keer de deur te openen. Hij vloog meteen open.

Vanuit de kamer klonken stemmen. Er werd op gedempte toon gepraat. Een mannen- en een vrouwenstem. Ans en nog iemand. Ik sloop naar beneden. Hoe laat was het? Ik schoof op mijn tenen naar de keuken en keek op de klok. Tien over twee. Had ik zo lang geslapen? Ik spitste mijn oren om iets van de kinderen te horen, maar ik hoorde niets. Er stonden geen kaplaarzen bij de kapstok, er lagen geen kleurpotloden op de keukentafel. Het was overdreven netjes. Het hout van de tafel glansde als in een Pledge-reclame, de keukenkastjes straalden van de Andy, de vloer blonk en rook naar boenwas. Wie was die man met wie mijn zus zat te praten? Martin?

Ans zat in haar stoel, tegenover een morsige man van middelbare leeftijd in een bruin suède jasje. Beiden keken verschrikt op toen ik binnenkwam. Mijn zus haastte zich overeind, rende op me af en boog zich redderend om me heen als een verpleegster. Ze wreef zorgelijk over mijn rug.

'Hoe voel je je? Kom maar even zitten. Dit is Victor. Victor, jij hebt Maria al gezien…'

Hij gaf me een slappe, droge hand. Onder zijn ogen hingen grauwe wallen en hij had zich zeker drie dagen niet geschoren. Zijn haren, grijs en pluizig, zaten warrig en dat gaf hem het uiterlijk van een verstrooide professor.

'Dag, Maria. Hoe gaat het nu met je?'

Ik keek van mijn zus naar Victor. Er was iets in hun houding. Ze waren op hun hoede.

'Waar zijn de kinderen?'

'Ze spelen op hun kamer. Ik heb net even wat speelgoed met ze gekocht. Wolf miste zijn lego…'

'Dan ga ik even bij ze kijken.' Ik draaide me om, maar Ans hield me tegen.

'Maria, vertrouw me nou maar, ze zijn boven en ze zijn veilig. Kom even zitten. Als ze je zo zien…'

Ik keek naar beneden, naar mijn met bloed besmeurde badjas en mijn geschaafde vingers.

'Wat is er aan de hand? Wat is er gebeurd?'

Ik werd ontzettend bang van de blik in de ogen van mijn zus. Ze keek me aan of ik niet helemaal goed bij mijn hoofd was. Ze troonde me mee naar de bank en dwong me zachtjes te gaan zitten.

'Kun je je niets meer van vannacht herinneren?' vroeg Victor, en hij keek me bestuderend aan, zijn ogen tot spleetjes geknepen. Het was bedreigend, eng gewoon, om door hem bekeken te worden alsof ik een pratende aap was.

'Wie is hij? Wat doet hij hier?'

'Je hebt gelijk. Mijn excuses. Ik zal me even fatsoenlijk voorstellen. Ik ben psychiater bij het RIAGG en een collega van Ans. We werken veel samen. Ans begeleidt probleemgezinnen, ik beoordeel de geestelijke gezondheid van de ouders. Je zus heeft me vannacht, of eigenlijk vanochtend vroeg, gebeld of ik wilde komen.'

Ans pakte mijn hand en begon nerveus mijn handpalm te aaien.

'Je was compleet overstuur. Je kwam naar mijn kamer, om een uur of halfdrie, huilend. Ik had niet zo boos op je moeten worden. Maar goed, we spraken wat, over Geert en over alles wat je de laatste tijd hebt meegemaakt, en het leek of je wat rustiger werd, maar ineens wilde je de kinderen uit bed gaan halen. Ik probeerde je tegen te houden en toen werd je boos. Woedend. Ik bedoel, echt fysiek. Je hebt alles omvergegooid. Je viel me aan. Ik ben de kamer uit gevlucht en heb de deur op slot gedraaid. Daarna heb ik Victor gebeld. Toen hij hier aankwam stond je met je hoofd tegen de deurpost te rammen. Je had je handen opengehaald. Merel en Wolf stonden te huilen op de gang. Victor heeft je medicatie gegeven waardoor je bent gekalmeerd.'

Ik probeerde een sigaret op te steken, maar mijn lichaam schudde zo erg, dat de aansteker uit mijn handen viel. Victor raapte hem van de grond en gaf me een vuurtje.

Ik begon het te begrijpen. Ik wist wat hier aan de hand was. Het was nu van levensbelang dat ik mezelf onder controle hield. Ieder woord, iedere beweging werd geregistreerd. Ik wilde dat de mist in mijn hoofd optrok en dat ik helder kon denken.

'Ik moet wat eten,' was het enige wat ik uit kon brengen.

'Ik zal wat voor je maken. Bruin brood met kaas, geen boter. Toch?'

Ik knikte.

'Je kunt je werkelijk niets meer herinneren?' Victor hees zijn linkerbeen over zijn rechter en wreef over zijn sleetse ribfluwelen broek. Gele sokken in zijn schoenen. In zijn linkerzool zat een gat.

'Nee. Ik heb gedroomd. Over mijn kinderen. Ik hoorde ze gillen. Alsof ze aan het verdrinken waren. En ik kon ze niet vinden. Het was te donker.'

'Hmm.' Hij boog zich voorover naar de tafel, pakte zijn half opgerookte sigaar uit de asbak en stak hem aan met zijn Zippo. De benzinelucht prikkelde mijn neus.

'Je zus maakt zich ernstige zorgen om je. Ze heeft me een beetje ingelicht over je situatie en ik ben bang dat haar zorgen terecht zijn. Je hebt de afgelopen weken zoveel meegemaakt... Ik weet eigenlijk niet zo goed wat ik moet doen. Normaal gesproken laat ik patiënten die psychotische verschijnselen vertonen, opnemen. Maar Ans wil daar niets van weten.'

'Ik ben niet psychotisch.'

'Misschien niet. Dat kan ik zo niet goed beoordelen. Maar vannacht was je wel een gevaar voor je omgeving....'

'Ik weet niet of Ans het je heeft verteld, maar ik zit hier omdat iemand mij bedreigt.'

'En heb je een idee wie dat kan zijn?'

'Nee. Maar het is iemand die veel over mij weet. Die me intens haat en me een hoer vindt. Ik denk dat hij me iets heeft toegediend...'

'En hoe zou hij dat hebben kunnen doen?'

'Weet ik veel. Dat zou de politie moeten uitzoeken. Neem wat bloed van me af, neem monsters van wat ik heb gegeten en gedronken.'

'Ja, ja. Ik ben bang dat de politie daar helaas geen tijd voor heeft.'

'Ze hebben wel tijd, maar ze denken dat ik gek ben, net zoals jij.'

'Ik denk helemaal niet dat je gek bent. Ik denk dat het je allemaal wat te veel is geworden. Dat je iemand nodig hebt om mee te praten en misschien wat medicijnen om weer wat rustiger te worden. Dat is alles.'

Ik stond op. Ik was ineens ontzettend moe.

'Hoe denk je, dat iemand je hier in huis zou kunnen drogeren?'

Victor vouwde zijn handen achter zijn hoofd en leunde naar achteren, zijn sponzige lippen om zijn natte sigaar gevouwen. Ik keek naar hem en bedacht me dat ik nooit van mijn leven bij hem op de divan zou gaan liggen. Hij was het soort man dat ik haatte. Het type zelfvoldane hulpverlener. Hij verleende hulp omdat hij zich daar zo goed door voelde. Hij moest weg en nooit meer terugkomen. Maar hij bracht me wel op een idee. Zijn vraag, die ik niet beantwoordde omdat ik wist dat hij me dan nog gestoorder zou vinden, schudde me wakker. Er was maar één persoon die toegang had tot dit huis. Eén man die alles wist over mijn verleden. Het was zo logisch.

Ik hoorde Victors psychologische prietpraat braaf aan, beloofde hem mijn medicijnen te slikken en knikte zogenaamd dankbaar toen hij me op het hart drukte dat ik hem dag en nacht kon bellen. Over drie dagen zou hij terugkomen om te kijken hoe het met me ging en of de medicijnen aansloegen.

Ans beloofde Victor dat ze bij me zou blijven. We schudden elkaar de hand en Victor gaf me een amicaal klapje op mijn rug. Ans omhelsde me en ik beloofde haar om rust te nemen. Voor het eerst in weken wist ik precies wat ik moest doen.

26

'Gaat het weer met je, mam?' Wolf kroop op schoot en keek me met grote ogen aan.

'Ach, lieverd. Mama had gewoon een nare droom. Mama was zo geschrokken van de brand…'

'Ik ook. Ik droomde van het vuur. Dat het vuur achter me aan kwam. En toen maakte Merel me wakker en zei dat iemand jou aan het vermoorden was. En dat je niet meer bij ons lag. En toen hoorden we jou huilen en ons roepen. En ik moest ook huilen en Merel ook. En toen kwam tante Ans en die bracht ons bij die meneer in de kamer.'

Merel bleef stoïcijns naar de televisie staren.

'Het spijt me echt wat er allemaal gebeurt. Maar het komt goed. Mama houdt van jullie. Heel veel.' Ik streelde met mijn neus langs zijn wangen, die naar melk en pindakaas roken.

'Ik ook van jou, mam. En van pap.' Hij drukte een zoen op mijn lippen, wurmde zich uit mijn omhelzing en dook naast Merel op de bank.

In de badkamer bekeek ik mijn lichaam. Mijn armen, vol krassen en rode striemen. Mijn linkeroog werd dichtgedrukt door een paarsblauw ei aan de zijkant van mijn hoofd dat me deed lijken op een personage uit *Star Trek*.

Ik leek op mijn moeder. Een opgejaagde blik, trillende handen. Ik had schuim om mijn mond gehad. Net zoals zij, vlak voordat ze voor het eerst werd opgenomen.

Die benauwende avond in augustus was mijn vader op het strand aan het werk. De zon scheen nog oranje en hing laag boven zee, de duinen gloeiden en de badgasten zaten met flesjes wijn in het zand te wachten op een prachtige zonsondergang. Ik was vijf en had van Ans de opdracht gekregen om papa te halen, en snel. Ans zou bij mama blijven, die zich de hele dag in de bijkeuken had verschanst. Daar zat ze, mompelend op een kruk, dozen vol bestek te poetsen. Ik bleef uit haar buurt, dat deed ik al maanden, want ik was bang van haar. Ze kon me ineens grijpen, aan mijn vlecht meetrekken naar de keuken, waar ik ervanlangs kreeg omdat ik een vlek op mijn jurk had, of rouwranden onder mijn nagels. Of ze tilde me op schoot, begon me lief over mijn hoofd te aaien en zei dan dat ik zo'n mooi meisje was en dat het allemaal zo zonde was, zo zonde dat papa ons allemaal kapot wilde maken. Dan vluchtte ik zo snel mogelijk naar pa, het strand op. Bij hem voelde ik me veilig. Hij was groot en sterk en lief.

Althans, dat vond ik toen. Inmiddels zag ik wel in dat hij een sukkel was, die zijn ogen sloot voor de ziekte van zijn vrouw en de problemen gewoon door zijn oudste dochter liet oplossen. Maar destijds adoreerde ik hem, met zijn gespierde, bruine armen, hoe hij een strandstoel in één beweging optilde, boven zijn hoofd. Hij dook in één keer in het koude water van de zee, hij bouwde strand-paviljoens, hij redde eigenwijze Duitsers uit de golven. Hij was mijn held.

Ik had een enorme klap gehoord, gevolgd door gekletter en afschuwelijk wanhopig gekrijs. Daarna kwam Ans naar me toe rennen, met een rood hoofd en paniekerige ogen.

'Haal papa. Nu.'

'Waarom? Wat is er?'

'Niks. Hup. Rennen!'

Ik rende over de houten vlonders, tegen de roodverbrande sjokkende toeristen in, en ik riep hem. Rende het zand op, naar zijn blauwe hok, waar hij bier zat te drinken en te schateren met een andere, dikke man.

'Papa, papa, u moet komen! Er was een hele harde klap. Ik denk dat er iets met mama is.'

Hij begon te rennen, in zijn zwembroek, ik holde hem achterna. De zon was al half in de zee gezakt. Het zand was warm.

In het pension ging de deur van de bijkeuken dicht. Ik werd weggestuurd. Ik hoorde mijn moeder gieren en van alles omvergooien en mijn vader sussend praten. Ans kwam naar buiten, rende de trap op en kwam terug met een glas water en een wit doosje. Zwijgend. Ik vroeg wat er was. 'Ga weg,' was haar antwoord.

Mijn moeder werd door mijn vader naar boven gebracht. Ze hing in zijn armen als een lappenpop. Haar gezicht was vlekkerig en opgezet. Ze bibberde. Om haar mond zat wit spul. Schuim. Ze keek dwars door me heen. Het leek of ze een masker op had.

Ans en ik mochten frites halen. We aten het zwijgend op, zittend op een bankje op het plein.

'Wat is er nou gebeurd?'

'Niks. Mama is moe. Ze gaat nu slapen.'

's Nachts werd ik wakker van stemmen buiten. Er werd gegild. Ans en ik schoven onze gordijnen opzij en zagen gasten in hun pyjama op hun sokken buiten heen en weer rennen. Pa stormde binnen en zei dat we ons naar buiten moesten haasten. De gasten namen ons mee, hysterisch rennend, ver weg van het pension. Van een afstand keken we naar Duinzicht. Een ambulance, de brandweer, politie, met gillende sirenes reden ze langs. 'Wat is er?' vroeg ik aan een vrouw die haar armen om me heen had geslagen. 'Gas,' zei ze. 'Het gas lekt. Had niet veel gescheeld of we waren allemaal de lucht in geblazen.'

Ma werd opgenomen in Santpoort. Connie, een lieve jonge vrouw, kwam bij ons in huis, om te helpen met het pension. Het was gezellig. Er werd gepraat tijdens het eten. De gasten waren dol op haar. Pa en ik ook. Op zondag gingen we op bezoek bij mama. Dan zat ze als een zombie in een vieze groene corduroy stoel aan haar rok te friemelen. In Santpoort begon ze met roken. De ene sigaret na de andere. Ze rookte ze tot op de filter op. Na een halfjaar kwam ma weer thuis en namen we in tranen afscheid van Connie.

Ik stapte onder de douche. Het hete water brandde in mijn wonden, maar dat was een prettig gevoel. De pijn maakte me wakker en helder. Mij kreeg hij niet gek. Ik waste mijn haren met Ans' kokosshampoo en de hele badkamer rook meteen naar Steve, die zich altijd van top tot teen insmeerde met kokosolie. Dan zat hij op een wit plastic krukje, naakt, en masseerde zijn tenen na een grondige inspectie met een nagelschaar, zijn kuiten, zijn dijen, alles werd zorgvuldig gekneed met de zoetgeurende olie, tot zijn hele lichaam glansde. Daarna ging hij voor de spiegel staan, naakt, om vol bewondering naar zichzelf te kijken.

Herinneringen. Hoe mijn moeder mij waste, schrobde en de zeep in mijn ogen liep terwijl ik op mijn lip beet om niet te huilen. Als zeepbellen zweefden ze door mijn hoofd en spatten ook zo weer uit elkaar.

Ik deed mijn spijkerbroek aan, die niet meer strak om mijn kont zat maar lubberde rond mijn bovenbenen, trok mijn zwarte sweater over mijn hoofd en borstelde voorzichtig mijn haren. Mijn moeder had nooit in de gaten gehad wat er met haar aan de hand was. Ze wees alle hulp en therapieën af, weigerde haar medicijnen te slikken en bleef beweren dat wij van haar af wilden. Dat mijn vader een ander had. Dat wij met hem tegen haar samenspanden. Dat niemand naar haar wilde luisteren. Ik keek naar buiten, naar een zweefduikende meeuw, en realiseerde me met een schok dat ze misschien wel gelijk had gehad. En dat ik nooit een poging had gedaan haar te begrijpen. Ik onderdrukte deze gedachte onmiddellijk. Ze was onmiskenbaar paranoïde geweest. Ze had geprobeerd mijn vader dood te slaan. Ik had geen enkele leuke herinnering aan haar.

27

Ik besloot Ans niet te vertellen dat ik haar man verdacht. Ze zou alleen maar denken dat ik echt volslagen de weg kwijt was.

Ze zat in de kamer te ganzenborden met de kinderen.

'Kijk eens wie we daar hebben. Wil je thee?'

'Ik pak het zelf wel, dank je.'

Ik schonk mezelf in en ging bij hen zitten. 'Het spijt me. Van vannacht. Het is zo raar… Ik kan me er écht niets meer van herinneren.'

Ans draaide zich naar me toe, keek me boos aan en schudde haar hoofd. Ze legde haar vinger op haar lippen en wees met haar hoofd richting de kinderen. Ze stond op, aaide Merel en Wolf over hun hoofden en zei dat ze nog even wat verse thee bij ging zetten. Ik volgde haar.

'Je kunt dit soort dingen niet steeds bespreken waar zij bij zijn,' begon ze. 'Ze verkeren nog in een soort shock door wat er vannacht is gebeurd. Je moet met ze praten over de alledaagse dingen, ze weer een gevoel van vertrouwen geven.'

'Zoals jij mij vroeger ook nooit iets vertelde, bedoel je? En mij nog steeds niets vertelt? Gewoon je mond houden over problemen, dan zijn ze er ook niet?'

'Je hoeft míj niet aan te vallen, Maria. Ik ben hier niet de patiënt,' sneerde ze, met haar kiezen op elkaar.

'Ik val je niet aan. Ik wil alleen niet dat je je met de opvoeding van mijn kinderen bemoeit. Wij hebben een open relatie met elkaar. Als ze me iets vragen, krijgen ze een eerlijk antwoord. Dát maakt juist dat ze me vertrouwen.'

'Je leunt op ze. Dat is veel te zwaar. Ze voelen zich verantwoordelijk voor je. Ze zijn bang. Ik moet hier toch echt ingrijpen.' Ze perste haar lippen op elkaar.

Ze pakte de fluitketel en hield hem onder de kraan. Daarna draaide ze het gas open en zette de ketel met een knal op het fornuis. Ik stak een sigaret op. Ingrijpen. Over mijn lijk. Ik hield me verder in, want ik wist dat het geen zin had ruzie met haar te maken. Ze zou dichtklappen en me de *silent treatment* geven en daar was ik allergisch voor.

'Zeg eens eerlijk: denk je dat ik alles wat me is overkomen heb verzonnen?'

'Wat jij ervaart en voelt, is jouw waarheid. Ik geloof niet dat je zomaar iets verzint.'

Ze schoof een stoel onder de tafel vandaan en ging zuchtend zitten.

'Met rust en goede begeleiding… Ik wil je helpen, Maria. Victor kan je helpen. Niemand hoeft het verder te weten…'

'Dus jij gelooft niet dat ik die brieven heb gehad…'

'Ik geloof wat ik zie. Vannacht heb ik je als een razende tekeer zien gaan. Je was helemaal niet de Maria die ik ken…'

'Ik ben niet zoals mama.'

Ans zette de theepot op het dienblad.

'Nee, natuurlijk niet. En dit is een andere tijd. We weten veel meer. Er zijn betere medicijnen. Huidige therapieën zijn effectiever. Je hebt veel meegemaakt, Maria. Iedereen zou daarvan in de war raken. Vertrouw Victor nou maar.'

'Ans, ik ben je zus, niet je patiënt.'

'Cliënt.'

'Je moet tegen mij niet dat hulpverlenerstoontje aanslaan. Ik slik die klotepillen wel, ik ga praten met Victor, maar ik wil niet dat jij mij ook als een van je "cliënten" behandelt.'

'Maak je nou maar niet boos. Ik ga straks naar de apotheek om je medicijnen te halen, ik neem de kinderen mee, dan heb jij even rust.'

We dronken thee in een gespannen stilte. Het tikken van mijn lepeltje, het rinkelen van de porseleinen kopjes, het voorzichtig slurpen van Ans, al die kleine geluiden kon ik bijna niet verdragen. Ik was opgelucht toen ze opstond om weg te gaan. Ze raadde me met klem aan om te gaan liggen. Rust, rust en nog eens rust, dat was wat ik nodig had. Alleen daarvan zou ik weer opknappen, en ik beloofde haar te gaan slapen.

Ik keek ze na, hoe ze wegreden in haar zwarte Golf, en het stak me dat mijn kinderen zo vol vertrouwen met haar meegingen. Hoe ze zich in een paar dagen tijd aan haar hadden gehecht.

28

Haar werkkamer bevond zich aan de voorkant van het huis, naast de keuken, en vanachter haar bureau keek ze uit op de duinen. Zelfs haar pennen lagen in het gelid op het notenhouten bureaublad. Een gum, een puntenslijper en vier markeerstiften vormden een stilleven naast een stapel gekleurde dossiermappen, en verder lag er niets op haar bureau.

De rechterwand werd in beslag genomen door een enorme boekenkast vol vakliteratuur. Duizenden boeken, gerangschikt naar onderwerp. Vier planken vol over kinderen en pedagogiek. Een schap met medische en psychiatrische naslagwerken. Eindeloze rijen feministische literatuur. Marilyn French, Anja Meulenbelt, het assepoestercomplex, al die jaren-zeventigtroep die andere vrouwen allang op een rommelmarkt van de hand hadden gedaan. Alle ellende die een mens kon overkomen stond hier gebundeld op de planken.

Aan de wand naast het raam hing een foto van Martin, bruin en lachend in een oranje zwemvest. Ik pakte de foto van de muur en keek naar zijn gezicht. Het gezicht dat ik dacht te kennen, met die borstelige wenkbrauwen en zijn vreemde puntige haviksneus. Ik herinnerde me dat ik afgelopen nacht ook naar een foto van hem had zitten kijken en had gevonden dat hij iets duivels had. Daar zag ik nu niets van terug. Hier was hij gewoon Martin, lachend na een zonnige zeilpartij. De Martin die ik vertrouwde, die mijn spaargeld beheerde, die zonder er ooit een cent voor te vragen mijn belasting-aangiftes deed.

Hij paste zo op het eerste gezicht helemaal niet bij mijn zus. Naast hem hoorde een vrolijke, gezellige vrouw die ook hield van zeilen en golfen en in cabrio's rondrijden. Ans gaf niets om dat soort dingen. Haar grootste hobby was opruimen. Ordenen. Systemen aanbrengen. Dingen op een rijtje zetten. In haar huis en in het leven van anderen. Dat deed ze als kind al, wanneer ze 's avonds voor het slapengaan haar schoenen op een rijtje naast haar bed zette en vervolgens met een liniaal controleerde of ze werkelijk recht stonden. Anders kon ze niet slapen.

Waar zou ze de sleutels bewaren? Niet in een oude, gebutste soepkom, zoals ik dat deed. Misschien had ze wel helemaal geen sleutel van Martins kantoor. Had hij zijn geheimen afgesloten in de wetenschap dat tijdens zijn afwezigheid Ans zeker zou gaan snuffelen tussen zijn spullen. Ik realiseerde me ineens dat het wel vreemd was dat Ans zo gelaten reageerde op zijn verdwijning. Alsof ze het normaal vond dat hij zomaar was vertrokken. Wat zou er werkelijk tussen hen zijn gebeurd? Meer dan zij me vertelde, dat wist ik zeker. Want Ans vertelde nooit iets over zichzelf. Zwijgen was haar met de paplepel ingegoten.

'Wat is er met mama?'
'Niets.'
'Waarom doet ze altijd zo boos?'
'Weet ik niet.'
'Waar is papa?'
'Buiten.'
'Wat ga je doen?'
'Gaat je niks aan.'

Het verbaasde me dus niet echt dat al haar lades gesloten waren. De sleutel van haar bureaula moest aan haar sleutelbos hangen. En die had ze bij zich. Stel dat ze die zou verliezen? Dat zou niet gebeuren, want Ans verloor nooit wat. Maar ze konden wel gestolen worden. En dan had ze een reservesleutel nodig. Ergens in dit enorme huis moest een reservesleutel liggen.

Ik voelde met mijn vingers onder haar bureaublad en onder de stoel of ze niet, zoals pa vroeger deed, het sleuteltje met een stuk plakband eronder had geplakt. Niets.

Net toen ik op de grond lag, met mijn hoofd onder haar bureau, hoorde ik voetstappen. Iemand liep rond het huis. En ik was alleen. Ik kroop nog verder onder het bureau. Ik maakte me zo klein mogelijk, mijn hoofd tussen mijn knieën, mijn voeten onder mijn kont, en probeerde zo geluidloos mogelijk adem te halen.

Wat zat ik hier in godsnaam te doen? Straks was het Ans, die terugkwam en mij in haar kantoor onder tafel aan zou treffen. Dat zou haar nog meer bevestigen in haar idee dat ik compleet doorgeslagen was. Of de postbode. Een Jehova's getuige. Ik kreeg kramp in mijn nek, zo met mijn kop tegen het bureaublad, terwijl de voetstappen aarzelend verder gingen. Ik was echt paranoïde aan het worden. De bel ging. Twee keer. Kort, lang. Het snerpende geluid van de bel joeg mijn hart op hol en het zweet sprong spontaan uit mijn poriën. Ik dacht aan zangles. Mevrouw Hupke. *Ontspan je spieren, één voor één, schud alles van je af. Inademen, vasthouden, maak je buik zo slap mogelijk, aanspannen, pffffff, weg met de stress. Maak ruimte. Ruimte in je buik, in je holtes, in je hoofd. Recht je rug, kantel je bekken, naar voren, schouders naar beneden.*

Ik kroop onder het bureau vandaan en de kamer uit, naar het raam in de gang, om vanachter het gordijn te kijken wie er voor de deur stond.

Een man was alweer op weg naar zijn zilverkleurige Audi, die op het pad geparkeerd stond. Hij leek van mijn leeftijd. Van achteren zag hij er aantrekkelijk uit. Slank, halflang bruin haar, spijkerbroek, donkerbruin leren jack. Hij keek weer om, naar de deur en de ramen boven, alsof hij iemand zocht en zeker wist dat die persoon in dit huis was, al deed hij de deur niet open.

Mijn nieuwsgierigheid won het van mijn angst en ik rende naar de voordeur om de man te roepen. Hij hoorde mijn stem boven de wind uit en draaide zich om.

'Ah, er is toch iemand thuis.' Hij kwam terug, met zijn hand voor zich uitgestoken.

Makelaar, vertegenwoordiger, verzekeringsagent, accountant, flitste het door mijn hoofd. Hij had die aura van zelfvertrouwen, dat Ratelband-achtige optimisme.

'Harry Menninga, goedemiddag.'

Ik liet hem mijn verbonden vingers zien en geschrokken trok hij zijn hand terug. Hij keek even vluchtig naar mijn blauwe oog en de grote pleister die daarboven zat.

'Zeg, is Martin misschien thuis?'

Toen ik ontkennend antwoordde, wankelde zijn zelfvertrouwen even. Hij haalde een zwarte zonnebril uit zijn haren, draaide wat onhandig met de pootjes en zette vervolgens de rechterpoot tussen zijn tanden. De zeewind blies dwars door mijn trui en ik probeerde mezelf tegen de kou en tegen Harry te beschermen door mijn col stevig tegen mijn hals te drukken.

'Hmm. En u bent...'

'De zus van Ans. Ik logeer hier. Kan ik iets doorgeven?'

'Nou... Ik zou graag Martin willen spreken. Maar ik krijg hem niet te pakken. Niet op zijn mobiel. Niet per mail. Ans zegt steeds dat hij een paar dagen weg is voor zaken, maar dan zou ik hem toch op zijn mobiel moeten kunnen bereiken...'

Ik bood hem koffie aan. Ik wilde hem vertrouwen. Hij kende Martin. Hij zou me niks doen. Ik besloot om niet bang te zijn, maar toen ik met twee kopjes koffie de kamer in liep, trilden mijn handen zo dat ik koffie morste op het beige kleed. Harry nam de kopjes van me over, waarna ik me haastte om een doekje te halen en de vlek weg te poetsen.

'Groene zeep,' riep hij me achterna. 'Vooral geen allesreiniger. Dat maakt het alleen maar erger.'

Ik poetste de vlek weg en Harry zat op het puntje van de bank de koffie van de schoteltjes in de kopjes te gieten.

'Mag ik zo onbeleefd zijn te vragen wat er met u is gebeurd?'

Ik sloeg mijn hand voor het blauwe deel van mijn gezicht. Ik was even vergeten dat ik er vreselijk uitzag.

'Een klein ongelukje. En zeg maar "je", hoor.'

Harry fronste zijn wenkbrauwen, maar vroeg gelukkig niet door.

'Ben je een vriend van Martin?' vroeg ik hem.

'Ja. Zoiets. Vriend en collega. Ik ben makelaar. Ik heb Martin leren kennen bij zhv, waar we samenwerkten. Inmiddels ben ik ook voor mezelf begonnen. En nu helpen we elkaar een beetje aan klanten. Martin regelt mijn financiële zaken. En we zeilen. Twee weken geleden zouden we samen naar Ajax-Feyenoord gaan, maar toen kwam hij niet opdagen. Ans zei dat hij ziek was. Een paar dagen later moesten we naar een wederzijdse klant, en toen was hij er ook niet. Kwam er zo'n lul van zhv, aan wie hij tijdelijk zijn zaken had overgedragen… Zonder dat met mij te bespreken! Daar was ik goed kwaad over. Maar nu… ik vind het steeds vreemder worden. Het is alsof hij van de aardbodem is verdwenen.'

Ik nam een slok lauwe koffie en bood hem een sigaret aan, die hij dankbaar aanvaardde.

'Eigenlijk ben ik gestopt,' glimlachte hij. 'Maar ik denk altijd maar: zolang ik ze niet zelf koop…'

'Zo ken ik er meer. Jullie roken me arm.'

Hij gaf me een vuurtje met zijn makelaarsaansteker en we inhaleerden allebei alsof onze levens ervan afhingen.

'Maar goed. Ans is zeker naar haar werk? Weet zij waar hij uithangt?'

'Ik weet niet of ik je dit mag vertellen… Hij is in de war. Hij heeft in overspannen toestand het huis verlaten en zit nu in Spanje. Hij belde Ans vanuit Madrid en heeft haar gevraagd zijn werk over te dragen aan zhv.'

'Overspannen? Dat is niks voor Martin… Goh. Hij heeft er een mooi zooitje van weten te maken…'

Er trok een vreemd soort spanning over Harry's gezicht. Hij was kwaad en deed erg hard zijn best om dit niet aan mij te laten merken. Hij wiebelde driftig met zijn voet.

'Luister, ik móet hem vinden. Het is heel belangrijk. Wanneer komt Ans thuis?'

'Dat weet ik niet. Kan elk moment zijn, maar het kan ook nog een uurtje duren.'

Hij zuchtte.

'En hij heeft zijn mobiel mee? Heeft hij een adres achtergelaten, of een telefoonnummer?'

'Nee, voor zover ik weet niet. Dat zou je echt aan Ans moeten vragen.'

'Laat maar. Hij heeft dus gebeld? Misschien kunnen we erachter komen via welk nummer...'

Hij drukte zijn sigaret uit. Zijn hand leek te trillen. Twee neuroten bij elkaar. Deze Harry wist iets over Martin, dat voelde ik. Maar hoe kreeg ik dat uit een doorgewinterde leugenaar, wat volgens mij alle makelaars zijn? 'Ik kan proberen het nummer te achterhalen en het jou doorbellen wanneer ik het heb...'

'Laten we dat nú doen.'

'Hé, ik heb dat niet zo één-twee-drie. Misschien staat het in Ans' agenda. Of heeft ze het ergens opgeschreven. Je hebt wel haast, zeg. Wat is er nou eigenlijk aan de hand?'

Ik schonk hem nog wat koffie bij. Hij steunde met zijn hoofd in zijn handen en masseerde zijn slapen. 'Iets zakelijks. Maar als ik hem niet snel bereik, loopt alles in de soep. Voor zover dat niet al is gebeurd.'

'Maar hij heeft zijn zaken toch overgedragen? Kunnen ze bij ZHV niks voor je doen?'

Zijn bovenlip glom van het zweet. Harry leek met de minuut nerveuzer en kwader te worden. 'Wat een eikel. Nee, ZHV weet hier niets van. Het zijn privé-zaken. Shit. Ik begrijp er geen moer van...'

Hij had het kookpunt bijna bereikt. Wat er zich ook tussen hem en Martin afspeelde, het drong iedere seconde meer tot hem door hoe diep hij in de problemen zat. Hij streek nerveus met zijn vingers over zijn wenkbrauwen.

'Sorry hoor. Overspannen.' Hij lachte opgefokt.

'Oké, oké. Martin en ik stoeien wat met aandelen. We hadden allebei een potje met geld ingezet, waar we toch niks mee deden, en daarmee hebben we flink wat winst weten te maken. Martin deed het beter dan ik, via internet, op de Nasdaq, dus uiteindelijk heb ik hem mijn geld gegeven om mee te beleggen. En nu is hij weg. Die lul!' Hij wilde met zijn hand op tafel slaan, maar realiseerde zich net op tijd dat dit niet echt beleefd was. Zijn hand zweefde even boven tafel, waarna hij met zijn vuist op zijn bovenbeen timmerde. 'We moesten geld lenen, zei hij. We hadden zo'n goede portefeuille, het ging zo razendsnel, als we wat bijleenden en daarmee nog wat kochten, dan konden we een grote klapper maken. En ik vertrouwde hem. Ik heb dat geld op onze beleggersrekening gestort, weet ik veel, twee weken geleden of zo... En de volgende dag kwam hij niet opdagen. Hij is er gewoon mee vandoor gegaan! God weet met wiens geld allemaal nog meer...'

Kippenvel trok over mijn rug toen hij dat zei. Martin had blijkbaar geld nodig. Mijn huis in Amsterdam zou hem veel geld opleveren.

Harry stond op.

'Ik moet gaan. Redden wat er te redden valt. Praten met de bank. Die belt dagelijks.'

'Misschien moet je naar de politie...'

'Ben je gek? Zij zullen alles uitpluizen. Dat zal mijn naam weinig goed doen, denk ik. Nee, ik moet hem zelf zien te vinden. Er is iets gebeurd. Dat kan niet anders. Ik kan me gewoon niet voorstellen dat hij me zou naaien...'

'Weet Ans hiervan? Ik bedoel, van jullie gestoei met geld dat ook van haar is?'

'Nee, ik ben bang van niet. En wat ik nu heel vreemd vind: hij vroeg me vlak voor zijn verdwijning dit huis te taxeren, maar Ans mocht daar niets van weten, hij wilde geen paniek zaaien... Martin is een vriend, we moeten eerst weten wat er écht aan de hand is. Hij moet de kans krijgen...'

Harry sprak meer tegen zichzelf dan tegen mij.

Ik liep met hem mee naar de deur, waar hij me zijn kaartje gaf. Hij klopte me wat onhandig op mijn schouder, fronste zijn wenkbrauwen. 'Laten we dit nog even onder ons houden.'

Hij draaide zijn hoofd naar boven, naar de grijs uitgeslagen muren van Duinzicht, wierp een laatste taxerende blik op de burcht van mijn armzalige verleden. 'Jij belt me over dat nummer, oké?'

Hij zwaaide met zijn autosleutels en zette zijn zonnebril op, hoewel de lucht grijs was en het ieder moment kon gaan regenen. 'Ciao.'

Gejaagd zapte hij naar zijn Audi. Zijn achterlichten knipperden terug, net zo nerveus als hij. Hij stapte in, met zijn hoofd allang weer ergens anders, en met piepende banden scheurde hij weg.

29

Geld. Bestond er een banaler motief om iemand gek te maken, of te vermoorden?

Geld boeide mij in het geheel niet. Ik verkeerde in de comfortabele positie dat ik me er ook niet echt mee bezig hoefde te houden. Ik had geërfd. Mijn ouders hadden zich te pletter gewerkt, waren altijd zuinig geweest en hadden ons een klein kapitaal nagelaten. Het maakte dat ik in mijn eigen huis kon wonen en toch kon leven voor de muziek. Ik had genoeg aan het kleine inkomen dat ik met zingen wist te vergaren.

Ik kon me niet voorstellen dat geld zo belangrijk kon zijn dat je er iemand voor zou pijnigen, of ombrengen. Liefde, jaloezie, obsessieve hartstocht, allesverterende woede, oké, maar geld? Leven voor geld, werken met geld, het leek me verschrikkelijk saai.

'Wat is toch de kick van dat beleggen?' had ik Harry gevraagd, en hij noemde het een heerlijk spel, zoiets als gokken, en de kick was winnen, aandelenkoersen zien stijgen, precies op het goede moment verkopen en met die munten weer opnieuw instappen, nog meer winst maken, als klein opdondertje meespelen met de multinationals. Het gaf hem een gevoel van macht, het gevoel dat hij iets te betekenen had. Het was moeilijk om eruit te stappen.

Hij was ermee gestopt omdat hij te onzeker was, te lang wachtte of juist te kort, hij was laf geweest en had daarmee veel verloren. Maar Martin, Martin was spijkerhard. Die durfde risico's te nemen.

En nu was hij weg. Met het geld van zijn vriend en misschien dat van Ans. Moest ik het haar vertellen? Nee, nog niet. Ik wilde het eerst kunnen bewijzen. En Harry was degene die me daarmee kon helpen.

Ans en de kinderen arriveerden met tassen vol boodschappen. Ans gaf me een wit tasje vol medicijnen. 'Je mag er niet bij drinken,' zei ze, en liep door naar de keuken met een zak fruit onder haar arm. Wolf en Merel renden opgewonden achter haar aan.

'Gaan we nu warme chocolademelk maken? Gaan we nu koekjes bakken? Mam, doe je ook mee? We gaan speculaas maken! Kom op, mam.' Wolf trok aan mijn hand. Ik liep achter hen aan en voelde me een beetje overbodig. Alsof ik onder een gigantische kaasstolp zat, afgesloten van iedereen. Ik kon hen zien, en zij mij, maar er was geen contact.

Ans legde haar sleutelbos op de tafel, naast de tassen met boodschappen. Merel en Wolf graaiden in de tassen, hyper van enthousiasme, en zwaaiden alle lekkere dingen die ze hadden mogen kopen heen en weer voor mijn ogen.

'Kijk, mam, chocoladepudding! En mini-Twixen! Kijk dan, mááám!'

Ik keek niet. Ik lette op de sleutels, een enorme bos waaraan een kleine, oranje zeeboei hing. Ans pakte ze van tafel, liep naar een schilderijtje aan de muur en opende het. Ze hing de sleutelbos keurig aan een haakje, naast andere sleutels, ieder met een eigen kleur boei, in het schilderijtje dat blijkbaar een sleutelkastje was.

'Wat een grappig kastje,' zei ik, en ik bestudeerde het geschilderde tafereeltje: een truttig, naïef geschilderd boerderijtje, twee grote staldeuren waarvoor een boer en een boerinnetje op een bankje zaten. De staldeuren konden met een klein, houten knopje geopend worden. Alleen Ans zou zo'n achterlijk duf ding ophangen en ook daadwerkelijk gebruiken.

'Dat heeft Martin meegenomen uit Zwitserland. Het hing daar in een pensionnetje waar hij logeerde en hij vond het zo grappig dat hij vroeg of het te koop was. Bleek die pensionhoudster ze zelf te maken, met haar man.'

'Goh, wat leuk. Wat moest Martin in Zwitserland?'

'Skiën. Hier, pak aan. Ga lekker naar de kamer, ík vermaak de kinderen wel.'

Ze reikte me een mok warme, naar pis ruikende thee aan.

'Sint-janskruid. Goed voor innerlijke rust en tegen depressies.'

'Fijn.' Ik nam een slok van de hete thee. Het smaakte nergens naar. Ik wist nu waar ze de sleutels bewaarde en dat gaf me een bijna euforisch opgewonden gevoel. In Martins kantoor zou ik antwoorden vinden, daar was ik van overtuigd.

Rini zag de vlammen het eerst. Ik zat bij haar in de keuken een wijntje te drinken en ineens gilde ze dat mijn huis in de fik stond. We renden naar buiten, panisch schreeuwend. De vlammen sloegen uit mijn keuken en ik riep: 'De kinderen, mijn kinderen slapen daarboven!' Ik wilde naar binnen, naar boven, maar ik was totaal verlamd. Ik keek om, maar Rini was verdwenen en ik stond helemaal alleen naar mijn brandende huis te kijken. Ik wilde huilen, maar er kwamen geen tranen. Het verdriet was te groot, de angst te intens. Ik voelde een vreselijke pijn in mijn buik, alsof ik aan het bevallen was, alsof mijn kinderen die uit mij waren gekomen weer naar binnen kropen. Ik keek naar beneden en zag dat ik inderdaad zwanger was, mijn buik was een grote, gespannen bol. Mijn moeder stond ineens voor me en keek me vol minachting aan. 'Dat krijg je ervan,' zei ze, 'dit is je straf. Je kunt niet het ene kind wensen en het andere niet.'

Ze liep weer door en ik wilde haar achternarennen, maar ik kwam nog steeds niet vooruit.

De baby gleed uit me, ik voelde er niets van, hij viel op de grond en huilde. Ik keek op en zag dat er helemaal geen brand was. Merel en Wolf kwamen naar buiten en renden blij naar hun pasgeboren broertje. Merel pakte hem op en bedekte de baby met kusjes.

Toen werd ik wakker. Ik zweette en mijn mond was plakkerig en droog. Het diepe verdriet, dat ik in mijn droom had gevoeld, verzwaarde mijn hart. Alsof ik diep onder water was. Het trage suizen van mijn bloed klonk als de zee. Ik gleed weer weg, terug naar de nachtmerrie waarvan ik wist dat het maar een droom was maar waaruit ik niet kon ontwaken.

Iemand schudde aan mijn schouder. Streelde mijn voorhoofd.

'Hé,' zei Ans zacht. 'Gaat het?'

Ik schudde mijn hoofd en mijn hersens klotsten tegen mijn schedel. Ik probeerde overeind te komen, maar mijn spieren waren als pap.

'Blijf maar lekker liggen,' zei ze terwijl ze een kriebelende wollen deken over me heen legde.

Ik lag op de bank. Ik rook het haardvuur. Het moest laat op de avond zijn, want ik hoorde de kinderen niet meer. Zachte pianomuziek klonk door de kamer. Ik was ver weg geweest. Ik sloot mijn ogen en luisterde naar de minimalistische pianoklanken die de kamer de sfeer van een rouwcentrum gaven.

Het was of ik al dood was. Het leven sijpelde langzaam uit me weg, iedere dag werd ik leger en zwakker. Wat mankeerde me toch?

Ik vroeg Ans om water en ze bracht het en daarna nog meer water. Ik dronk het alsof mijn leven ervan afhing, terwijl ze met haar handen in haar schoot naast me zat en me bekeek alsof ik een mongool was.

'Wat is er met me?' vroeg ik haar, en ze zei dat de storm in mijn hoofd vanzelf zou gaan liggen als ik maar rust nam. Dat ik zomaar in slaap viel en me zo lamgeslagen voelde, kwam volgens haar door de medicatie. Ik kon me niet herinneren dat ik medicijnen had ingenomen.

'Ik wil naar buiten.'

Dat leek Ans geen goed idee. Ze vond me te onstabiel om alleen weg te gaan.

'Ik ga nergens heen, alleen maar de frisse lucht in. Ik zit al de hele dag binnen.'

Ik kon ineens geen minuut langer in huis blijven, het pianogepingel klonk in mijn hoofd alsof iemand naast mijn oor met twee pannendeksels stond te slaan. Ans stelde voor om samen een rondje te lopen, maar ik wilde niet dat de kinderen alleen achterbleven. Ik moest nadenken en daar kon ik haar niet bij gebruiken.

30

Op benen van rubber zwaaide ik met de wind mee, terwijl ik een poging deed mijn sigaret aan te steken. Gedachten plakten, kleefden aan elkaar, gingen in elkaar over en verdwenen weer. Ik wist even niet meer wat ik buiten deed, in het donker, wat er vandaag was gebeurd. Ik ademde diep in en betastte mijn wond. De pijn die door me heen schoot, was bijna aangenaam. Ik was nog in staat iets te voelen.

Op de parkeerplaats stond mijn grauwe witte Golf naast Ans' glanzende zwarte. Mijn auto, klein, dapper, onverzettelijk. Het was de laatste van mijn aardse bezittingen. Morgen zou ik hem gaan poetsen. Voor dat soort dingen had ik nu tijd. De vaal geworden lak inwrijven met was, de roestplekken aanstippen en bijlakken, de vogelpoep van de ramen krabben. Alle lege bekers cola, vieze sokken en oude boterhamkorsten weggooien, het zand en de kruimels uit de stoelen en de bank zuigen. Morgen zou mijn trouwe Golf net zo glimmen als die van Ans.

Ik hield van mijn auto, al was het dan soms een oud, chagrijnig kreng van een ding, dat op de meest onmogelijke momenten dienst weigerde.

De deur was open. Kennelijk had ik hem niet afgesloten. Ik ging achter het stuur zitten en snoof de muffige, vochtige geur op. Ik deed de radio aan en pakte de cd van de Red Hot Chili Peppers uit het hoesje, dat zoals altijd in mijn deurvak lag. Het was koud en mijn vingers deden pijn toen ik de cd in de speler schoof. Groen oplichtende cijfers verschenen op het display. De tijd. 03:30. Het was bijna ochtend. Had ik zo lang liggen slapen op de bank? Ik tastte in mijn jaszak naar mijn mobiel om te kijken of deze tijd klopte, maar kennelijk had ik hem binnen laten liggen. Shit. Hoe laat was het toen ik me niet goed voelde en even ging liggen? Niet veel later dan halfzes 's middags. Dat betekende dat ik bijna tien uur van de wereld was geweest.

Ans was nog wakker toen ik bijkwam. Dat was ook vreemd. Had ze tot halfvier naast me op de bank gezeten? Ik beet in de muis van mijn hand. Blijkbaar was ik elk besef van tijd kwijt. Ik leefde niet meer in deze wereld. Ik zat in een schemerzone. Voor het eerst begon ik aan mezelf te twijfelen. Stel dat ze gelijk hadden, en ik werkelijk in de war was?

Ik haastte me hijgend naar binnen. Hing mijn jas op en liep naar de kamer, waar Ans zat te lezen.

'Hoe laat is het?'

'Laat. Te laat. We moeten naar bed.' Ans legde haar boek weg, rekte zich uit en strekte haar benen.

'Hoe laat?' Ik was buiten adem hoewel ik me nauwelijks had ingespannen. Ans stond op.

'Zeker halfvier. Je hebt zo lang liggen slapen…'

'En waarom ben jij nog op?'

'Lieverd, ik durfde je niet alleen te laten. Victor heeft gezegd dat ik bij je in de buurt moest blijven. Om te kijken hoe je medicijnen aanslaan. Of je niet te sloom wordt, of te onrustig blijft. Kom, ik ga met je mee naar boven.'

Ze legde haar handen dwingend om mijn middel en duwde me zachtjes richting de trap. Ik schudde me los uit haar greep.

'Ik kan heus zelf wel naar bed,' snauwde ik.

Ans glimlachte haar Pleegzuster Bloedwijn-glimlach. 'Ook goed. Als je je medicijnen maar inneemt. Ze liggen op je nachtkastje.'

Ik liep de trap op en halverwege kon ik niet meer. Ik had geen kracht meer om nog één trede te nemen en was ineens zo moe, dat ik zittend op de trap, met mijn hoofd op het pluche van de traploper, in slaap had kunnen vallen.

Ans sjorde me aan mijn arm omhoog.

'Kom op, we zijn er bijna. Je mag zo meteen slapen.' Ze sleurde me overeind, pakte mijn rechterarm, legde deze over haar schouders en zo strompelden we samen verder. Ze sprak tegen me als tegen een peuter die net leert lopen. Boven zette ze me tegen de muur, opende de deur en knipte het licht aan.

'Zo, daar zijn we dan. Kom, kleed jij je alvast uit, ik haal een glas water voor je.'

Dit was een andere kamer dan waar ik eerst had geslapen. De kinderen lagen hier niet. Ik had ze sinds halfzes vanmiddag niet meer gezien. Ik keek in de kast en daar hingen al mijn kleren, keurig aan hangertjes. Op de planken lagen mijn T-shirts, onderbroeken en sokken, netjes opgevouwen, geurend naar lavendel. Ans had me verhuisd. Ik had mezelf verhuisd. Ik wist het niet meer. Ik wist niet meer welke dag het was, welke maand, wat ik vandaag had gedaan. Ik keek naar mijn hand en zag bloed. In de muis onder mijn duim stonden mijn tanden. Ik had mezelf gebeten.

Ans depte de wond schoon met alcohol. Ze schudde haar hoofd. 'Wat is er toch met je? Je gaat jezelf toch niet bijten?'

Ik vroeg haar waar de kinderen waren. Bij haar op de kamer, antwoordde ze. De kinderen vonden het prima. Ze snapten dat hun moeder ziek was.

Ik wilde ze zien.

'Ga nou maar slapen,' zei ze, en ze scheurde met haar tanden een stuk leukoplast van de rol.

'Ze zijn heus wel veilig. We kunnen ze nu beter niet wakker maken. Dat maakt ze alleen maar ongerust.'

Ze gaf me een glas water en een gele capsule.

'Hier. Daar ga je goed van slapen en dan ben je er morgen weer helemaal.'

Ik weigerde de pil. Ik zou ook wel slapen zonder die troep, zo moe was ik. Ik voelde me al zo verward en leeg, de medicijnen zouden het alleen maar erger maken.

Ze ging niet met me in discussie.

'Drink in ieder geval wat water. Dat is goed voor je.'

Ik pakte het glas aan en het gleed uit mijn handen. Ans bood aan om een nieuw glas te halen. Ik zei haar dat dat niet nodig was. Ik moest toch nog naar de wc. Aarzelend taaide ze af, nadat ze me had verteld dat mijn medicijnen aan de linkerkant van de medicijnkast lagen. Voor het geval dat.

Ik woonde net een halfjaar met Steve in Amsterdam, toen mijn moeder er eindelijk in slaagde een einde aan haar leven te maken. Zes dagen voor eerste kerstdag ging ze op bed liggen, in haar zondagse jurk, en nam alle pillen die ze in huis had kunnen vinden. En dat waren er heel wat. Seresta's om rustig te worden, lithium tegen haar depressies, Tegretol bij een epileptische aanval, Haldol in geval van psychotisch gedrag. In de badkamer stond een grote, witte, metalen kast vol medicijnen om mijn moeder in bedwang te houden. Die kast was altijd afgesloten, maar op die bewuste zondag niet. Mijn vader was aan het werk op het strand. Ans zat op haar kamer te studeren. Geen van beiden had iets gehoord of gezien. Ze wisten niet hoe ma aan het sleuteltje was gekomen. Was iemand vergeten het uit het slot te halen? Wist ma waar de sleutel lag?

Ik was er ziek van. Niet zozeer van het verlies van mijn moeder, want ik was haar al lang geleden kwijtgeraakt. Maar wel van de zinloosheid van haar leven en uiteindelijke dood. We hadden onze ogen gesloten, onze hoofden afgewend, haar volgestopt met pillen om maar van haar af te zijn. Had een goede psychiater haar kunnen helpen? Hadden wij haar kunnen helpen, als we echt naar haar hadden geluisterd? Alles wat ze zei, wuifden wij weg als de woorden van een gek. Een patiënt die ons het leven zuur maakte, zonder wie we veel beter af waren. Hoe had pa het zo lang met haar uitgehouden?

'Ze was een goede vrouw,' zei hij na de begrafenis. 'En nu ruste ze in vrede, bevrijd van de ziekte die haar heeft gekweld.'

Wat had hij dan moeten doen? Haar wegstoppen in een gesticht? Van haar scheiden en haar op straat laten zwerven? Hij had gedaan wat hij dacht dat goed was. Hij was bij haar gebleven in voor- en tegenspoed, zoals hij had beloofd. Maar in feite was hij gewoon een slappe zak geweest. Had hij nooit werkelijk moeite voor haar gedaan. Als het even kon, ontvluchtte hij zijn huis, liet de zorg voor het pension aan haar over, en toen ze het niet meer volhield, kwam de witte kast vol dope in huis en werd mijn moeder een machine.

Ze had geen afscheidsbrief achtergelaten. Voor zover ik me kon herinneren, had ze nooit gezegd dat ze van ons hield. In haar medaillon, dat ze droeg toen Ans haar vond, zat een foto van Stephan, ons dode broertje. Het verlies van Stephan, zei mijn vader, daar is ze nooit overheen gekomen. Nu is ze eindelijk bij hem. In de twaalf jaar na zijn dood was het voor het eerst dat hij over Stephan sprak.

Haar begrafenis. Wat een trieste bedoening. Het was warm buiten, voor de tijd van het jaar, en we bezweken bijna in onze zwarte wollen pakken. We waren slechts met een kleine groep. Ans, pa, Steve, wat buren en personeel. Een eenzame, kleine familie. Geen opa's en oma's, tantes en ooms. Mijn moeder was een bastaard. Mijn vader het kind van twee mensen die dachten nooit kinderen te kunnen krijgen. Steves familie wilde komen, maar dat wist ik hen uit het hoofd te praten. Wat een confrontatie zou dat zijn geworden. Zijn grote, kleurrijke, luidruchtige familie tegenover de mijne, benepen en grijs.

Ans sprak. Over hoe ma eindelijk de rust had gevonden waarnaar ze al jaren zocht. Dat we haar zouden missen en nog zo veel vragen hadden. Dat we goed voor pa zouden zorgen en voor het pension. Ikke niet, dacht ik. Meer dan ooit voelde ik toen de drang om onder die steen vandaan te kruipen, uit dat beklemmende hol, zo ver mogelijk daarvandaan. Mijn leven stond op het punt van beginnen en niemand zou mij tegenhouden. Ik zou leven. Ik zou iets gaan betekenen in deze wereld en mocht ik ooit doodgaan, dan zouden mijn vrienden huilen en swingen bij mijn graf. Voor mijn moeder huilde niemand. Ik ook niet. Ik was woest. Omdat ze haar leven zomaar had laten mislukken.

In de aula werd koffie en cake geserveerd. Ans beende driftig heen en weer tussen de fluisterende mensen, sloeg een arm om hen heen, haalde koffie voor pa, drukte kleffe handen, haar hakken stampten over het linoleum, ik kon het niet aanzien hoe ze zich gedroeg als reddende engel, als de spil van ons gezin.

'Die zus van jou, wat een sterke, lieve meid. Daar neem ik mijn pet voor af. Tjonge, wat fijn voor je vader dat zij Duinzicht gaat draaien.'

Niemand sprak met Steve. Hij zat kaarsrecht in zijn witte pak in een zwarte plastic stoel. Zijn kale schedel glom van de kokosolie. Ik wist dat het fluisteren van de buren over ons ging. In de trant van 'nagel aan haar doodskist'. Na de koffietafel, in de bloedhete auto, op het parkeerterrein, ritste ik zijn gulp open, trok zijn zwartzijden boxershort naar beneden en leidde hem zonder voorspel in mij. Steve lachte luid zijn donderende lach. '*O baby, you are crazy,*' kreunde hij.

31

Ik had vier berichten op mijn voicemail en twee sms'jes. Geert had gebeld. Furieus dat ik niet op onze afspraak was verschenen. *'Ik weet waar je bent, Maria. Je zit natuurlijk bij die zuster van je! Ik kom nu naar je toe, want ik pik dit niet langer!'*

Zijn dreigende toon beangstigde me. En het feit dat hij hierheen zou komen nog meer. Dat zou één grote rel worden met Ans.

Het tweede bericht was van Steve. *'Hi baby, waarom bel je niet terug? Ik heb goed nieuws, weet je. En ik heb je nodig. Bel me nou, please.'*

En nog een keer: *'Luister baby, aangezien je niet terugbelt: ik ga meedoen aan het Nationale Songfestival...'* Hij brulde het uit van het lachen. *'En nou wil ik vragen of jij meedoet. Als backing vocals. Ja, dit is je kans, Maria! Dit is het! Ik hoop dat je nu een reden hebt om mij terug te bellen. Bye.'*

Het songfestival. Even moest ik lachen om Steve, die nog geen maand terug was en alweer van alles had geregeld. Ik had het songfestival altijd gezien als het begin van het einde van je carrière. Maar aangezien die van mij nog nooit was begonnen… Het was een kans. Een kleine kans, maar toch. Ik zou op televisie komen. Mensen uit de echte muziekindustrie ontmoeten. Ik kon meer geld voor een optreden vragen. En stel dat ons nummer won en we naar het Eurovisie mochten, dan hadden we het over internationale bekendheid, dat zou enorm veel publiciteit opleveren.

Voor het eerst in lange tijd voelde ik weer iets van hoop. Ik had al weken niet over mijn toekomst nagedacht, behalve in termen van vluchten en overleven, en nu was er iets waar ik me aan vast kon houden, de kans waarop ik al mijn halve leven hoopte. Kon ik weer vooruitdenken. Ik ging met Steve naar het songfestival, wat er ook zou gebeuren.

Het laatste bericht was van Van Dijk: *'Wij wilden u nog enkele vragen stellen met betrekking tot het lopende onderzoek naar de brand in uw huis. Zou u zo snel mogelijk contact met ons op willen nemen? Einde bericht.'*

Eén sms'je was van Rini, die informeerde of het goed met ons ging. Het tweede was van ene Petra. Zo heette mijn moeder. Dit moest van hém afkomstig zijn.

'Je kunt niet aan je lot ontkomen, al vlucht je nog zo ver.'
Afzender: Petra
Nummer: (onbekend)

Ik huiverde alsof iemand een emmer ijs over me heen had gekieperd. Mijn lot. Wat was mijn lot? Dat ik gek zou worden, net zoals mijn moeder? Dat hij me zou vinden en vermoorden? Mooi niet. Niks daarvan. Mijn lot was straks met Steve op de bühne van het songfestival te staan.

Dit was eindelijk een bewijs dat deze bedreigingen niet alleen in mijn hoofd bestonden. Ik bewaarde het bericht om het te laten zien aan Ans, aan Victor en aan Van Dijk. Hier kon hij mee aan de slag.

Vandaag zou ik naar Amsterdam rijden. Om met Van Dijk te praten en naar mijn huis te kijken. Misschien zou ik Geert en Steve bellen. Ik had genoeg versuft op de bank gelegen.

Ik kon Ans er niet van overtuigen dat ik me wel redde. Ze stond erop om mee te gaan. Ik mocht niet rijden met de medicatie die ik kreeg en ik was volgens haar psychisch niet opgewassen tegen een politieverhoor.

'Ik kan je niet laten gaan. Ik heb de verantwoording over jou. Ik heb als Brugman moeten praten om Victor over te halen je niet op te nemen. Stel dat er wat gebeurt onderweg! Stel dat je in de war raakt van de vragen van de politie. Dan ben ik er niet om je te beschermen! En te voorkomen dat ze je opnemen! Laat mij Van Dijk bellen en hem vragen of hij hierheen komt...'

'Ans, ik krijg geen toeval. Ik wil alleen maar zien hoe mijn huis erbij staat. Ik moet íets doen. Als jij belt, of meegaat, dan denken ze echt dat ik van lotje getikt ben. Het gaat goed, écht waar. En die medicijnen neem ik niet meer. Sinds ik die pillen slik, voel ik me een zombie. Mijn handen gaan ervan trillen. Ik word moe en apathisch. Ik wil niet langer amechtig op de bank liggen. Ik ga en vanavond kom ik weer heelhuids thuis.'

Ze kon me niet tegenhouden. Ik was vastbesloten te gaan. Ans schonk zwijgend koffie in een kleine thermoskan en gaf die aan me.

'Doe voorzichtig. Bel me als je daar bent aangekomen.'

'Zal ik doen. Let alsjeblieft op mijn kinderen.'

'Natuurlijk.'

Merel eiste stampvoetend dat ik haar meenam. Ze wilde ook naar de stad, naar haar kamer en naar haar vriendin. Ans troostte haar en zei dat ze een verrassing voor haar had. Ik trok mijn jas aan, pakte mijn tas, deed mijn zonnebril op, drukte Wolf tegen me aan, knuffelde mijn boze dochter en liep daarna naar buiten.

Het was heerlijk om weer auto te rijden en de zon weer te zien schijnen, al was het dan dunnetjes. Om mijn eigen muziek te horen. *With birds I share this lonely view.*

Alsof ik uit een zompige kelder kroop. De angst was verdwenen. De sleutel van zijn kantoor zat in mijn tas. Ik had hem uit het kastje gevist toen Ans even de keuken uit was.

Ik zette mijn werk-cd op. Liedjes van The Supremes, Dusty

Springfield, Aretha Franklin, Ann Peebles, Gloria Gaynor. 'I Will Survive'. Dat deed het altijd goed bij het vrouwelijke publiek, jong en oud, studentes en caissières.

> *Do you think I'd crumble,*
> *Do you think I lay down and die,*
> *O no not I,*
> *I will survive.*

Ik zong. Mijn stem was klein en breekbaar, sloeg een aantal keren over, maar werd steeds dieper, tot hij uiteindelijk uit mijn onderbuik kwam. Ik schreeuwde mee met Gloria, alle spanning kwam door mijn strot naar buiten.

> *Go now go,*
> *Walk out the door,*
> *Just turn around now,*
> *You're not welcome anymore.*

Dit was mijn *Get Over Steve*-nummer.

Ik vloog over de weg en leek los te komen van het asfalt. Ik zong in mijn eigen videoclip. Ik was zo goed. Zo verdomde goed.

Amsterdam in rijden. Mensen op straat zien lopen. Ik schrok van het tramgerinkel. Mijn handen werden natter naarmate de buurt vertrouwder werd. Ik reed langs de bakker waar ik iedere ochtend zevengranenbolletjes en croissants haalde. Het groentemannetje met de verse roerbakmixen. De snackbar, vierentwintig uur open. Patatje speciaal na een optreden. Ik zag moeders van school fietsen met klasgenootjes van Wolf.

Toen ik mijn straat insloeg, spanden mijn spieren zich tot een harnas en leken mijn gewrichten te piepen bij iedere beweging. Er was geen parkeerplaats. Op mijn eigen plek stond een gloednieuwe, glanzende zwarte Saab.

Ik stapte uit en keek naar het hek voor mijn huis. Er zaten houten platen voor mijn keukenraam. De rode stenen waren zwartgeblakerd en de eens donkergroene kozijnen waren verkoold. Op de eerste etage stond het raam van Wolfs en Merels slaapkamer open. Hun hemelsblauwe maantjesgordijnen wapperden treurig naar buiten. Mijn slaapkamerraam, naast die van hen, zat ook dichtgetimmerd.

De blauweregen had de muur losgelaten en hing slap en triest te wiegen in de wind.

Ik zuchtte diep en legde mijn hand tegen het koude staal van het hek. Op mijn voordeur zat een briefje geplakt: *'Gelieve de post te bezorgen bij nummer 11.'*

Dat moest Rini gedaan hebben. Ik knipperde mijn tranen weg en stak een sigaret op.

'Het lijkt erger dan het in werkelijkheid is,' zei Van Dijk, die uit de zwarte Saab stapte. Hij liep met uitgestoken hand op me af. 'Goedemiddag, mevrouw Vos. De bovenverdiepingen zijn nog geheel in tact, behalve wat waterschade.'

Ik gaf hem geen hand en liet mijn gewonde vingers zien.

'O, pardon, wat is er met u gebeurd?'

'Klein ongelukje gehad,' antwoordde ik en ik zette mijn zonnebril weer op.

'Tja, u hebt wel erg veel pech de laatste tijd.'

'Kan ik erin?'

'Ja, dat kan. Alleen uw schoenen zullen wel wat vies worden. Er staat nog water in de keuken.'

'Dat maakt niet uit. Ik wil het zien.'

Hij opende het kettingslot, schoof het hek opzij en ging mij voor de voordeurtrap op. Op de deur zat een nieuw hangslot waarvan hij ook een sleutel had. In de hal stond zeker drie centimeter zwart water. Van Dijk droeg kaplaarzen. Het viel me op dat hij extreem grote voeten had. Hij haalde een zaklamp uit de binnenzak van zijn jas. Ik moest mijn zonnebril afzetten om iets te kunnen zien. Zijn blik viel op mijn dikke, beurse linkeroog.

Van de trap was weinig meer over dan een verkoold skelet. De muren waren zwartgeblakerd en op sommige plekken liet het stucwerk los. De ingelijste foto's van optredens van Geert en mij waren weg. Er hingen alleen gesmolten, vervormde kunststof slierten. Er stond geen kapstok meer, geen rijtje regenlaarzen daaronder, van Merel en Wolfs fietsjes hingen alleen de frames nog wezenloos tegen de muur. Het leek wel een huis in een door oorlog getroffen gebied.

We liepen naar de keuken. De deuropening steunde op een stalen paal. Wat er nog over was van de keukenkastjes, hing scheef, de deurtjes waren weggeblazen. Mijn keukentafel, de houten stoelen, alles was verdwenen, gesmolten, uiteengereten, verschroeid, verworden tot zwart stof dat in het water dreef. Merels barbiehuis een klomp vies roze plastic. Een groot gapend gat waar eerst de tuindeuren hadden gezeten. Mijn strijkplank, met de poten omhoog, in de tuin.

Ik had staan strijken, twee avonden voor we vertrokken. Thee gezet. Merel zat aan tafel met haar barbies te spelen. Wolf keek televisie. Al die tijd hadden de keukenlampjes gebrand.

Van Dijk wees op de scheve, door vuur aangevreten planken boven mijn kraan, die eenzaam tussen de beroete tegels hing. 'Hier is het begonnen, denken we. Kijk, dat onderste plankje is helemaal weggesmolten, hier is het lampje doorheen gebrand. Daarboven bewaarde u schoonmaakmiddelen. Die flessen zijn geëxplodeerd.'

'Nee, ik bewaarde mijn schoonmaakmiddelen in de kast onder het aanrecht. Daarboven stond olijfolie, ketchup, azijn, ketjap. Dat soort dingen. En op het plankje daarboven stonden blikken met suiker, pasta, rijst.'

'Misschien vergist u zich. Hebt u per ongeluk een fles spiritus boven neergezet in plaats van daaronder. We hebben ook de resten van een bus aanstekerbenzine gevonden.'

Die was van Geert. Hij gebruikte het voor zijn Zippo. Maar die borg hij toch altijd op in zijn bureaukastje?

'We hebben uw ex uitgebreid ondervraagd. Hij verklaart dat het mogelijk is dat hij deze bus per ongeluk in het keukenkastje heeft gezet...'

Van Dijk stapte kordaat verder, door de zwarte prut, naar de plek waar eens mijn gasfornuis en oven hadden gestaan. Nu was alles weggeslagen. De muur, de vloer. De afzuigkap.

'...En hier komen we bij het grootste raadsel. De oven is als een soort bom ontploft. Het kan niet anders of het gas stond nog aan, of lekte. Heel zachtjes, of heel kort, want als het gas lang open had gestaan en de keuken zich had kunnen vullen met gas, dan had dit huis er niet meer gestaan. En wellicht het huis van uw buren ook niet meer.'

Ik had ineens een ontzettende behoefte aan frisse lucht en kon geen seconde langer de penetrante, zwavelige geur van brand inademen en naar mijn verwoeste huis kijken. Ik draaide me om, te snel, en sterren dwarrelden voor mijn ogen. Van Dijk greep me bij mijn elleboog.

'Gaat het, mevrouw Vos? Laten we maar weer naar buiten gaan.' Hij leidde me voorzichtig voor zich uit, zijn rechterhand om mijn middel, zijn linker stevig om mijn arm. Ik slikte mijn zure speeksel weg.

Weer buiten deed het licht pijn aan mijn ogen. Van Dijk hield me nog steeds vast. Hij opende de deur van zijn Saab aan de passagierskant en hielp me te gaan zitten.

'U ziet erg bleek. Doet u maar even uw hoofd tussen uw knieën. Rustig maar. Ik ga even afsluiten. Gaat het?'

Ik knikte, terwijl ik met mijn hoofd tussen mijn benen bungelde. Het ging. Alleen mijn blauwe oog begon te kloppen van al die plotselinge bloedtoevoer. Ik keek naar mijn laarzen. Ze waren volledig naar de knoppen door die zwarte prut. Van Dijk schoof het piepende hek weer dicht, hetgeen me kippenvel bezorgde.

Hij nam plaats achter het stuur en stelde voor dat ik met hem meereed naar het bureau. Volgens hem was ik nog niet in staat zelf te rijden en ik kon dit alleen maar bibberig beamen. Voor hij startte overhandigde hij me een plastic tas. 'Voor het geval dat u moet spugen.' We reden naar het bureau. Mariah Carey galmde door de auto. *All I want for Christmas, is you.*

'Mag deze muziek af?' vroeg ik en hij begon meteen aan de tuningknop te draaien. *It'll be lonely this Christmas, lonely and cold.*

'Ik ben bang dat er geen ontkomen aan is, aan die kerstliederen,' lachte hij onhandig. 'Ik kan me wel voorstellen dat u dit niet wilt horen.'

Hij draaide de radio uit.

'Zo. Geen gekweel meer. Beter?'

Ik knikte. Waarschijnlijk vond Van Dijk me erg zielig, als alleenstaande moeder zonder huis, vlak voor kerst.

Bij de receptie van het bureau stond een grote kerstboom, vol rode strikken, rode lampjes en glazen rode ballen. 'Goh. Gezellig,' mompelde ik en Van Dijk antwoordde dat het van hem ook allemaal niet zo hoefde.

Het paste niet bij elkaar. Boeven, slachtoffers, plastic kuipstoeltjes, automaatkoffie en een kerstboom. Het maakte de sfeer in het bureau alleen maar kaler. Ik kon me goed voorstellen dat een binnengebrachte crimineel die boom het liefst met veel geweld door de hal heen zou willen smijten. Ik moest mezelf ook beheersen. We liepen door naar een verhoorkamer, grauw en grijs, zonder ramen, stinkend naar nicotine en oud zweet.

'Zo, hier mag ik tenminste roken,' zei ik, en ik slingerde mijn jas over een stoel. Van Dijk zette twee kopjes koffie en een asbak neer en nam tegenover me plaats. Hij pakte een map uit zijn tas en legde deze voor zich neer.

'Tja, mevrouw Vos. Wij van de politie zitten een beetje met de handen in het haar wat deze kwestie betreft. U zegt te worden bedreigd door een onbekende en er zijn inderdaad mensen uit uw omgeving die dit hebben bevestigd, maar behalve dat hebben we geen tastbare bewijzen. We hebben het telefoontje naar Remember, maar dat blijkt te zijn gedaan met uw eigen mobiele telefoon. Degene die het pakje aan u heeft bezorgd in de Leidse studentensociëteit, kunnen we niet traceren. Het was een jongeman op een brommer, die zijn helm ophield toen hij het afgaf. De aan u gerichte brieven zijn verdwenen in het vuur. En de brand is hoogstwaarschijnlijk veroorzaakt door uw eigen nalatigheid.'

Ik leunde op tafel met mijn hoofd in mijn handen. 'Hij is heel slim. Hij manipuleert alles zo, dat het lijkt alsof ik gek ben. Dat ik dit mezelf aandoe.'

'U bedoelt dat híj met uw mobiele telefoon heeft gebeld?'

'Ja. Hij is die nacht mijn huis binnengedrongen en heeft die begrafenisondernemer gebeld. Ik herinner me namelijk dat ik die nacht wakker werd en ineens heel bang was. Ik voelde dat er iemand in mijn huis rondliep. Ik weet inmiddels bijna zeker wie hierachter zit. Ik kan het alleen niet bewijzen. Maar ik vermoed dat het mijn zwager Martin is. Martin Bijlsma. Hij heeft een sleutel van mijn huis. Hij heeft een motief. Ik denk dat hij financieel in de problemen zit. Hij weet dat als hij mij uit de weg ruimt, mijn zus alles erft. En dat hij dat gaat beheren.'

'Ho. Wacht even. Uw zwager, zegt u? De man van uw zus bij wie u nu verblijft?'

'Ja. Hij is spoorloos verdwenen. Mijn zus heeft hem al twee weken niet meer gezien. Volgens haar is hij overspannen en zit hij tot rust te komen in Spanje. Dat is vreemd, vindt u niet? Ik denk dat hij helemaal niet in Spanje is. Ik denk dat hij hier nog rondloopt en mij probeert gek te maken. Kijk. Vanochtend zag ik dit sms'je.'

Ik overhandigde Van Dijk mijn mobiele telefoon. Fronsend las hij het bericht.

'Dit bewijst helaas niets. Iedereen kan dit soort berichten verzenden. Het is via internet gedaan. We kunnen dat nooit traceren. Waarom denkt u dat uw zwager financieel in de problemen zit?'

'Ik heb een collega van hem gesproken. Ene Harry Menninga. Martin heeft zijn geld belegd en dat geld is nu verdwenen.'

Van Dijk stak een pen in zijn mond en draaide hem rond tussen zijn tanden.

'En u denkt dat uw zwager in staat is tot bedreiging van een familielid en brandstichting om zijn financiële problemen op te lossen?'

'Hij is de enige in mijn omgeving met een motief. Daarnaast is hij van de aardbodem verdwenen met een paar ton van zijn beste vriend. Dat bewijst in ieder geval dat hij er niet mee zit zijn vrouw, of zijn vriend verdriet te doen...'

'Ik weet het niet, mevrouw Vos. Ik weet niet wat ik hiermee aan moet. Ik heb uw zus gesproken en zíj vertelde me dat haar man op zakenreis is. Ze heeft me ook verteld over uw moeder...'

Ik veerde op. Ans was hier geweest? Waarom had die trut me dat niet verteld?

'Wat hebt u allemaal met mijn zus besproken?'

'Uw zus heeft geen kwaad woord over u gezegd. Ik heb gebeld en zij wilde u niet storen omdat u lag te slapen. Ik heb haar verzocht u te vragen mij terug te bellen en ze zei dat ze u liever niet lastigviel met deze kwestie. De volgende dag kwam ze op het bureau. Ze wil de weten hoe de zaak ervoor stond en wat zij kon doen om u te helpen.'

'En ze heeft u verteld dat ik doorgedraaid ben.'

'Nee. Wel dat u een moeilijke tijd doormaakt. En dat wij u even met rust moesten laten. Ik heb haar gezegd dat ik dat liever zelf beoordeel.'

'Aha. En dat bent u nu aan het doen.'

'Ik zit met een aanklacht van Remember tegen u. Het enige bewijs in deze zaak is in úw nadeel. Ook de brand lijkt veroorzaakt te zijn door úw nalatigheid. Oké, uw ex-vriend beweert de dreigbrieven gelezen te hebben, maar ik heb ze niet gezien. Nu beweert u ineens dat uw zwager u middels een zeer ingewikkeld complot uit de weg wil ruimen. Ik wil u wel geloven, maar ik heb eigenlijk geen enkele reden om dat te doen.'

Ik pakte mijn sigaretten van tafel, nam een laatste slok koffie, stond op en liep naar de deur. 'Dan gelooft u me maar niet. En heb ik ook geen enkele reden meer om hier nog te zitten…'

'Mevrouw Vos, u moet begrijpen dat wij ook in een moeilijke positie verkeren. We hebben een enorm personeelstekort. Dit is zo'n zaak waar we niks mee kunnen. We hebben niks! Behalve een brand, waarover u me ook weinig kunt vertellen…'

'Meneer Van Dijk, tot twee weken geleden had ik een leven. In mijn huis, met mijn kinderen. Nu heb ik niets meer en denkt iedereen dat ik zo gestoord ben dat ik mezelf loop te bedreigen! Wat ik verder nog zeg, bevestigt dat beeld alleen maar. Dus ik beëindig dit gesprek. Goedemiddag.'

De zon scheen nog, maar dat zou niet lang meer duren. Zware sneeuwwolken rukten op. Ik pakte mijn portemonnee uit mijn tas en haalde Harry Menninga's kaartje te voorschijn. Ik toetste zijn nummer in op mijn telefoon. Hij nam meteen op.

'Menninga.'

'Dag, met Maria Vos, je weet wel, we hebben elkaar laatst gesproken over Martin?'

'Ha. Ik had je al geprobeerd te bellen. Wacht even...'

Hij mompelde iets tegen de persoon met wie hij kennelijk zat te praten en ik hoorde hem naar buiten lopen.

'Heb je het nummer?'

'Nee. Eigenlijk weet ik ook niet hoe ik daaraan moet komen. Ik wil je iets anders vragen. Ik ga morgenavond een kijkje nemen in Martins kantoor. Ga je mee?'

'Dat heet toch inbreken? Weet Ans hiervan?'

'Nee. En dat hou ik het liefst even zo.'

'En wat moet ik dan doen?'

'Wat dacht je van kijken waar je geld is gebleven? Ik weet niks van computers...'

'Oké, ik ga mee. Hoe laat heb je me nodig?'

'Laten we om halftien in Neptunus afspreken. Dat restaurant op het plein?'

'Dat vind ik wel. Tot dan. Ciao.'

32

Geert zat er al. Of liever gezegd, hij hing voorovergebogen aan de bar. Ik herkende hem bij binnenkomst aan zijn houding, de wervels van zijn rug die door zijn trui heen prikten en zijn woeste bruine krullen.

Ik was zeker tien jaar niet meer in De Cel geweest en er was helemaal niets veranderd. Nog steeds dezelfde psychedelische schildering aan de wand, dezelfde hooilucht. Wiet rokende pubers rond de houten stamtafel in de hoek, eenzame, bier drinkende mannen aan de bar, hier en daar wat artistiek volk met opgeblazen rode koppen. Niet echt een kroeg om vrolijk van te worden. Hier werd Janis Joplin nog vereerd.

Ik legde mijn hand op Geerts breekbare rug en hij draaide zich om. Keek me aan met zijn grote bruine hondenogen, glimlachte en sloeg zijn armen om me heen. Hij kuste me, hard en wanhopig, en zijn stoppels schuurden langs mijn wangen. Daarna drukte hij me

stevig tegen zich aan. Hij stak zijn neus in mijn haren en snoof.
'Maria, wat ben ik blij om je te zien.'

We bestelden bier. Geert bekeek mijn geschaafde handen en
streelde de wond boven mijn oog. Hij zag er slecht uit. Rond zijn
ogen was de huid dofbruin, hij had zich al zeker twee dagen niet geschoren en het boordje van zijn witte T-shirt zag grijs.

'Ik flipte gisteren helemaal, weet je dat? Jij kwam niet opdagen,
de politie stond voor mijn deur. Ik dacht even dat je me had aange-
geven. Fuck man, ik ben ook mijn huis kwijt! En jou, en de kinderen! Ze hebben me verhoord alsof ik verdomme zelf de boel in de fik
heb gestoken. Alsof ik al die grappen heb uitgehaald.'

We keken allebei zwijgend voor ons uit. De barkeeper pakte
onze lege glazen en hield ze vragend in de lucht. We knikten. Janis
Joplin werd vervangen door Pink Floyd.

'Wees eens héél eerlijk. Denk jij dat ik hierachter zit?'

'Zou ik hier met jou zitten als ik dat dacht?'

'Waarschijnlijk niet.'

'Denk jij dat ik het mezelf allemaal aandoe?'

'Hoezo? Denken ze dat?'

'Het telefoontje naar de begrafenisondernemer is met mijn mobiel gedaan. Het gas in mijn oven stond open toen de brand ontstond. Alle bewijzen zijn in vlammen opgegaan. En mijn moeder
heeft een psychiatrisch dossier van hier tot Tokio. Zelfs mijn eigen
zus denkt dat ik ze niet meer allemaal op een rijtje heb.'

'Waarom zou je dat doen?'

'Weet ik veel. Aandacht. Het komt voor. Sommige mensen beweren terminale kanker te hebben om aandacht te krijgen. Ik moet
je eerlijk bekennen dat ik soms aan mezelf twijfel. Ik werd gister
wakker onder het bloed, en ik wist niet meer wat er was gebeurd…
Ik val op de raarste momenten in slaap, ik voel me constant opgejaagd en nerveus. Er is wel íets mis met me.'

'Je komt op mij vrij normaal over. En dat je je niet goed voelt, is
logisch. Er is nogal wat gebeurd, de afgelopen weken.'

Ik glimlachte naar hem.

'Wanneer weet je of je geestelijk iets mankeert? Daar denk ik
steeds over na. Je weet het niet van jezelf. Dat vind ik zo eng. Mijn

moeder wist het niet. Zij dacht werkelijk dat mijn vader haar wilde vermoorden. Dat de hele wereld tegen haar samenspande. Ze is een keer 's nachts uit het water gehaald door een Duitse toerist. In haar nachtjapon was ze de zee in gelopen, midden in de winter. Of ze dat wel vaker deed, vroeg die man aan mijn vader toen hij haar thuis-bracht. Nee hoor, zei pa, terwijl ze nog geen maand uit de inrich-ting was. Hij wikkelde een handdoek om haar heen, bracht haar naar bed en zette koffie voor die Duitser. Daarna nog een jenever-tje. Uiteindelijk zijn ze samen straalbezopen geworden. De volgen-de ochtend stond mijn moeder gewoon weer ontbijt te maken voor ons. Alsof er niks was gebeurd. Ze wist het niet meer. Pa kwam naar beneden en vroeg om een eitje met spek. Daarna ging hij de krant zitten lezen.'

'En wat wil je daarmee zeggen?'

'Dat je stapelmesjoche kunt zijn zonder dat zelf in de gaten te hebben.'

'Mar, ik ken jou. Al zes jaar. Jij bent een ijzersterk wijf. Je hebt je ontworsteld aan een vreselijke jeugd, aan dit benepen gat... Je bent niet gek, je bent niet depressief en je zult het ook nooit worden. Mensen zoals jij worden dat niet. Als iemand dat weet ben ik het wel.'

Hij haalde zijn hand door zijn haar. De as van zijn shag viel in zijn bier. 'Shit.' Hij wreef met zijn vingers in zijn ooghoeken. Hij was moe. En dronken. Ik had ook verschrikkelijke zin om naast hem te blijven zitten en mee te drinken tot het donker werd en de muziek luider. Maar dat kon niet. Het sneeuwde. Ik moest nog rij-den. En ik wilde naar de kinderen. Ik zocht in mijn tas naar mijn portemonnee.

'Ik betaal,' zei Geert en hij legde geld op de bar. Hij hees zich in zijn leren jas en liep richting de deur.

'Wat moeten we nou?' Hij keek naar de sneeuw, die traag neer-dwarrelde op straat.

'Jij hoeft niets.' Ik stak mijn handen onder mijn oksels tegen de kou. 'Ik weet denk ik wie het is, wie mij dit aandoet.'

Hij keek me verbaasd aan.

'Daar komt ze nu mee!' Hij haalde zijn pakje Drum uit zijn

binnenzak en begon zenuwachtig te draaien. 'Nou, wie dan?'

'Martin. Hij zit in de problemen. Hij heeft geld nodig. Als hij mij wegwerkt, erven zij mijn huis. Dat is nu inmiddels een vermogen waard.'

Geert schoot in de lach.

'Sorry, hoor. Martin? Die sukkel? Dat vind ik erg moeilijk te geloven. En wat doe je dan bij hem in huis?'

'Hij is weg. Al twee weken. Hij beweert overspannen te zijn en voor zijn rust in Spanje te zitten.'

Een jongen wurmde zich geïrriteerd tussen ons door, het warme café in.

Geert blies zijn rook hard uit. 'Ik weet het niet. Ik vond hem altijd wel oké. Hij heeft me trouwens gebeld, ongeveer twee weken geleden. Zoiets. Hij was heel aardig. Hij wilde jou spreken, maar hij kon je niet bereiken.'

'En? Wat zei hij verder? Waarom moest hij mij hebben?' Ik pakte Geerts sigaret uit zijn mond en nam een trekje.

'Dat zei hij niet. Ik was nogal overstuur. Hij belde vlak na onze ruzie, weet je wel, over de abortus. Ik was zo kwaad…'

'Nee! Je hebt het hem verteld! Shit! Dat is het. Zie je wel! Hij wist van mijn abortus!'

We namen afscheid. Geert zei dat hij zo snel mogelijk de kinderen wilde zien. Hij logeerde het weekend in een pension in het dorp en hij was dag en nacht bereikbaar.

'En de band dan?' vroeg ik hem.

Hij schudde zijn hoofd. 'Even niet. Er is van alles aan de hand, maar dat doet er nu niet toe. Ik vertel het je later wel.'

Ik beloofde hem te bellen. Hij vroeg me voorzichtig te zijn. Hij drukte me tegen zich aan. 'Ik hou van je,' fluisterde hij. Ik kon niets terug zeggen.

Ik reed langzaam terug over een witte Eeuwigelaan. In de tuinen van de villa's brandde kerstverlichting. Achter de grote, glazen puien huisden gezinnen, brandde de haard, zaten pa en ma met een flinke bel wijn gezellig te praten en lagen de kinderen voor het vuur te tekenen. Zo had ik me dat tenminste ooit als kind voorgesteld, achter op de fiets bij mijn vader, op weg naar het dorp.

We waren op weg naar de kerstmarkt op mijn school. Ik had twee engelen gemaakt van goud karton, met echt engelenhaar en glitters, en was er zo trots op, dat ik mijn vader smeekte om mee naar de kerstmarkt te gaan. Hij was nog nooit op mijn school geweest. Ouderavonden, open dagen, paas-, kerst-, lente-, herfstmarkten, het was aan mijn ouders niet besteed. Ze hadden het druk, en trouwens, het was allemaal flauwekul. De school was er om te leren, niet om steeds maar weer feest te vieren. In hun tijd was er nooit iets leuks op school. En moesten ze er ook op zaterdag naartoe. Briefjes waarin de juf verzocht om assistentie bij de knutselmiddag, de sinterklaasviering, schoolreisjes en het schoonmaken voor de grote vakantie werden door mijn moeder driftig in de prullenbak gedeponeerd. Dat was voor moeders die niks te doen hadden. Zij had het druk zat. En ze betaalden genoeg belasting. Daarvan moest de school maar een schoonmaker inhuren in plaats van dure schoolreisjes maken.

Maar één keer ging mijn vader door de knieën. Toen ik hem huilend smeekte om mijn engelen te komen bekijken. Mijn moeder zat nog in Duin en Bosch. Connie, onze gezinshulp, zou samen met Ans de kerstversiering in het pension ophangen.

'Doe niet zo flauw,' lachte ze tegen mijn vader en ineens zei hij: 'Vooruit dan maar. We gaan.' Connie kneep glimlachend in mijn wang.

We gingen op de fiets. Het sneeuwde. Ik was volmaakt gelukkig. Dit werd een witte kerst, met mijn kerstengelen in onze boom, met Connie, en we hoefden niet zachtjes en voorzichtig te zijn voor ma. Ik danste in de sneeuw. Pa haalde zijn fiets uit de schuur, deed een handdoek onder zijn snelbinders en tilde mij in één beweging op de bagagedrager.

'Zo. Kun je lekker zacht zitten. Hou je vast.'

Hij stapte op. Ik sloeg mijn armen om zijn middel en stak mijn handen in zijn zakken. Leunde met mijn hoofd tegen zijn bruine ribfluwelen jas. We glibberden weg over het witbesneeuwde fiets-

pad, langs de duinen, langs de villa's met hun open haarden en kerst-
bomen in de tuin. Door het dorp vol lichtjes.

Bij school pakte ik mijn vaders hand. Zo liepen we naar binnen.
We kregen warme chocolademelk en juf Clara kwam mijn vaders
hand schudden. Ik was trots op hem.

'Dit is mijn vader,' zei ik tegen de meisjes uit mijn klas. Ik troonde hem mee naar de engelenkraam. Hij vond ze prachtig. Juf Marijke stond achter de kraam en gaf ons een stuk kerstbrood.

'U hebt een creatieve dochter, meneer Vos,' zei ze tegen hem, en
hij moest lachen.

'Heeft ze van d'r vader.'

Hij legde zijn hand in mijn nek. Ik voelde dat ik rode vlekken op
mijn wangen kreeg. Hij kocht mijn engelen voor één gulden. Juf
Marijke schoof ze voorzichtig in een plastic tas en overhandigde ze
aan mijn vader.

We fietsten terug. De tas wapperde aan zijn stuur. Er was nog
meer sneeuw gevallen, zoveel, dat we het duin niet meer op kwamen. We gingen verder lopen, de sneeuw knerpte onder onze voeten. Boven op het duin liet mijn vader zijn fiets vallen. Hij pakte een
handvol sneeuw en maakte er een bal van, die hij naar me toe gooide. We peperden elkaar in, totdat we allebei hijgend en lachend op
de grond vielen. Mijn vader sloeg zijn arm om me heen en ik legde
mijn hoofd op zijn borst. 'Het wordt een mooie kerst, Maria,' zei
hij. Samen keken we naar boven, naar de pikzwarte lucht waar de
sneeuw uit viel. Het was net of we door het heelal zweefden.

's Avonds vertelde ik alles aan Ans. Ze draaide haar rug naar me
toe.

'Jij hebt altijd leukere dingen,' snauwde ze.

33

Victor zwaaide de deur open. 'Zo, Maria. Daar ben je eindelijk. Je zus maakte zich erg ongerust over je.' Een zoete, weeë lucht walmde me tegemoet. Ik trok mijn jas uit. Victor nam hem aan.

'Waar is ze dan?' Er was iets helemaal mis. Ik voelde het.

'Jou aan het zoeken. We moeten haar maar even bellen dat je veilig thuis bent.' Hij troonde me mee de kamer in. Daar stond, naast de open haard, een grote kerstboom, versierd met korenblauwe ballen, aan korenblauwe lintjes. De lampjes, eveneens blauw, verspreidden ijsblauw licht.

'En de kinderen? Waar zijn ze?'

'Die liggen rustig te slapen.'

Merel was nog wakker. Ze schoot overeind toen ze me hoorde.

'Mam! Je bent er!' Ik ging bij haar op bed zitten. We omhelsden elkaar. 'Mam, waar was je nou? Je bent toch ziek? Dan kan je niet zo lang wegblijven… En toen ging het ook nog sneeuwen. Tante Ans ging de politie bellen…'

Ik kuste haar op haar zachte wangen.

'Mama moest even naar Amsterdam. En naar Geert. Hij wilde me ook graag spreken. Hij mist jullie.'

'Heb je de kamer gezien? De kerstboom? Hebben Wolf en ik met tante Ans opgetuigd. En de kerststukjes, heb je die gezien? We hebben de hele middag geknutseld. En kijk…' Merel sprong uit bed. Ze droeg een pyjama die ik niet kende. Wit flanel, bedrukt met hulstblaadjes.

'Hoe kom je aan die pyjama?'

'Van tante Ans gekregen.' Ze liep naar het tafeltje naast Wolfs bed en knipte een lampje aan. Ons kerststalletje, omringd door kaarsjes. Jozef en Maria van gips, honderdmaal gebroken en weer gelijmd, een os, een ezel, vier schapen en de kribbe met de baby. Merel zakte door haar knieën en ging devoot voor het stalletje zitten. Ze streelde Jozef en Maria en pakte heel voorzichtig de baby uit de kribbe.

'Dit is Jezus, de zoon van God. Het gaat om hem met Kerstmis, niet om de kerstman. We vieren zijn geboorte.'

'Hij is allang al dood.' Wolf zat rechtop, wrijvend in zijn ogen, zijn krullen in de war. Hij kroop over zijn bed naar ons toe.

'Hé, mama. Ik dacht dat jij ook dood was.'

Ik tilde hem op mijn schoot. 'Hoe kom je daar nou bij?'

'Ans zei het. Tegen die man.'

'Victor,' snauwde Merel.

'Ja. Ze zei: "Straks is ze tegen een boom aan gereden."'

Ik stopte ze in bed. Wolf stak zijn duim in zijn mond en sliep meteen weer in. Merel vroeg of de lichtjes bij het stalletje aan mochten blijven. Ik vond het goed.

'Mam?' riep Merel toen ik de deur achter me dicht wilde doen. 'Wat is er eigenlijk met je?'

'Er is niks met me. Ik was een beetje moe, en geschrokken. Maar nu gaat het weer.'

'Ans zegt dat je ziek bent. Dat we je met rust moeten laten.'

'Dat hoeft helemaal niet. Jullie zijn me nooit te veel.'

'Jouw moeder was toch ook altijd ziek?'

'Ik ben niet altijd ziek. En morgen gaan we de hele dag leuke dingen doen.'

'Oké. En beloofd is beloofd!' Merel zwaaide met haar vinger en keek me streng aan.

'Tuurlijk. En nou slapen.'

Ik hoorde Ans beneden binnenkomen.

Ze stoof op me af toen ik de kamer binnenkwam. 'Waar heb jij in godsnaam uitgehangen!' Haar moeder-overstegedrag irriteerde me. Ze had het lang weten te onderdrukken, maar nu exposeerde ze haar ware karakter in volle glorie.

'Het gaat jullie eigenlijk niets aan, weet je dat. Trouwens, je weet toch waar ik ben geweest! Bij jouw vrienden van de politie!'

Ans keek me woedend aan. 'Hoezo "jouw vrienden"?'

'Nou, jij hebt daar laatst toch ook een bezoekje gebracht? Om ze te vertellen hoe gestoord ik ben!'

Ik stak een sigaret op. Ans liep naar de salontafel, stapelde de koffiekopjes en bekers op en zette ze driftig op het dienblad.

'Dat heb ik nooit gezegd. Ik heb ze gevraagd je even met rust te laten. Verder hebben ze me alleen een paar vragen gesteld.'

'En waarom vertel je dat niet aan mij?'

'Ik wilde je er niet mee lastigvallen.' Ze liep de kamer uit, met het dienblad in haar handen.

'Maria, je begrijpt toch wel dat Ans ongerust was? Je bent de hele dag weggebleven. En je hebt vanochtend je medicijnen niet geslikt…' Victor boog zich vaderlijk naar me toe en legde zijn hand op de mijne.

'Wat doe jij hier eigenlijk?'

'Ze belde. Ze was behoorlijk overstuur. Ik ben meteen hierheen gekomen. Ik voelde me eerlijk gezegd ook een beetje schuldig. Als er wat met je gebeurt, is dat ook mijn verantwoordelijkheid. Ik heb er tenslotte in toegestemd je thuis te behandelen.'

'Victor, ik hoef geen pillen. Ik voel me vandaag voor het eerst in tijden weer goed. Zonder die troep. Ik heb mijn huis gezien, mijn ex gesproken. Ben door de politie verhoord. Dat heb ik allemaal doorstaan zonder medicijnen.'

'En voel je je nog steeds bedreigd?'

'Ik wórd bedreigd. Kijk maar.' Ik liet hem het sms'je op mijn telefoon zien.

'Petra, zo heette mijn moeder. Zie je? Ik weet niet wat hij met me van plan is, maar ik weet wel dat het hem niet gaat lukken. Ik vecht terug. Wat jullie daar ook van vinden.'

Ans kwam weer binnen. Ze had zichzelf blijkbaar hervonden. Haar haar zat weer in een keurige staart, haar make-up was bijgewerkt en ze glimlachte. 'Sorry hoor, Maria. Ik maakte me écht zorgen. Zeker toen het begon te sneeuwen. Ik dacht dat je rond een uur of drie wel terug zou zijn. De kinderen en ik hadden de kamer versierd, de kerstboom opgetuigd en lekker eten gemaakt. We wilden je verrassen. En je kwam maar niet. Merel heeft je nog proberen te bellen, maar je telefoon stond uit.'

'Dat kan niet. Hij heeft de hele dag aan gestaan…'

'Je had ons toch even kunnen bellen? Dat is toch een kleine moeite?'

Natuurlijk had ik dat gekund. Waarom had ik daar niet aan gedacht? Ik was teruggereden uit Amsterdam, nog steeds vol van het zien van mijn gewonde huis en het moeizame gesprek met Van Dijk. Daarna het weerzien met Geert…

'Ans, ik ben een volwassen vrouw. Ik hoef aan jou geen verantwoording af te leggen.'

'Nee, niet aan mij. Maar wel aan je kinderen.'

Victor gaf me mijn telefoon weer terug. Ans keek verwonderd van hem naar mij. Ik gaf mijn mobieltje aan haar.

'Hij heeft weer iets van zich laten horen.'

Ze las het bericht. Daarna keek ze naar Victor. Hij haalde zijn schouders op en keek zorgelijk terug.

Ans legde de telefoon op tafel. 'Ik heb geen verstand van dit soort dingen. Kan het niet zijn dat iemand dit per ongeluk aan jou heeft gestuurd? Een soort "Verkeerd verbonden" maar dan anders?'

'God, wat moet er gebeuren voordat jullie mij geloven? Hoe kan dit nou toeval zijn? Petra, de naam van mijn moeder? "Je kunt niet aan je lot ontkomen, al vlucht je nog zo ver." Toeval?'

'Lieverd, half Nederland heet Petra. En dat zinnetje kan van alles betekenen. Ik vind het niet echt dreigend klinken.'

'Het gaat om jouw gevoel,' probeerde Victor. 'We geloven je, Maria. Ans probeert je alleen maar gerust te stellen. Jouw angst is reëel. Dit is jouw werkelijkheid.'

'Rot op met je "jouw werkelijkheid". Ik ga een ei bakken en daarna slapen. Zonder pillen. Welterusten.'

Ze hielden me niet tegen. Ik voelde hun blikken in mijn rug toen ik de kamer uit liep. Zodra ik de deur achter me dichttrok, zouden ze gaan smoezen. Over mij. Hoe snel ze me het gesticht in konden krijgen. Het was van het grootste belang dat ik mijn zelfbeheersing niet zou verliezen.

Het spek siste in de pan. Ik brak de schaal van het ei op de rand van de pan, goot kokend water in een mok en hing er een zakje Earl Grey in. Legde twee boterhammen op een bord en pakte de krant.

Toen ik opkeek stond Victor me vanuit de deuropening te observeren.

'Je ei bakt aan,' zei hij en hij wees naar het fornuis.

Ik draaide het vuur uit en schepte mijn eitje op de boterhammen, ging achter mijn bord zitten en sloeg de krant open. Ik wilde dat hij ophoepelde. Victor pakte een stoel en ging tegenover me zitten.

'Waarom ben je zo opstandig?' fluisterde hij, en hij probeerde mijn blik te vangen.

Ik keek terug, recht in zijn lodderige bruine ogen, en vervolgens weer naar mijn ei. Ik zette de punt van mijn mes in de dooier. Het eigeel sijpelde over het eiwit. Ik sneed de boterhammen in vieren.

'Waarom ga je eigenlijk niet naar huis?' Ik nam een hap. Er moest meer zout op.

'Ik wil eerst weten hoe het met je is.'

'Nou, prima.'

'Maria. We maken ons écht zorgen om je. En niet geheel onterecht, ben ik bang. Waarom wil je je medicijnen niet slikken?'

'Omdat er niets met me aan de hand is.'

'Ik denk dat er wel wat met je is. En Ans ook. En de politie ook. En Ans en ik willen heel graag voorkomen dat je nog dieper in de problemen raakt.'

Een druppel zweet gleed kriebelend van mijn oksel naar beneden. Het was nu heel belangrijk om rustig te blijven. Hij wilde me meenemen. Bij mijn kinderen vandaan halen. Ik had er niets meer over te zeggen.

'Wat denk jij dan dat mij mankeert?'

'Dat kan ik zo nog niet zeggen. Daarvoor zou ik meer met je moeten praten. Maar ik denk wel dat je psychotische belevingen ervaart. En je voelt je bedreigd. Laat ik het zo zeggen: jouw lichaam verkeert voortdurend in de hoogste staat van paraatheid. Je ondergaat zoveel stress, dat je zelf niet meer in staat bent deze negatieve spiraal te doorbreken.'

'Maar ik wórd ook bedreigd. Is het niet door hem, dan is het wel door jullie.'

'Wij willen je alleen maar helpen.'

'Je helpt me, door me te geloven.'

'We geloven je ook, Maria. Ik begrijp hoe afschuwelijk je je voelt.'

'Als je me opneemt, dan heeft mijn vijand zijn zin.'

'Wie denk jij dan dat jouw vijand is?'

'Ik weet wie het is, maar ik kan het je niet zeggen. Ik moet eerst bewijs vinden. Daar heb ik een paar dagen voor nodig.'

'Het zou het beste zijn als je gewoon vrijwillig met mij meeging.'

'En als ik dat niet doe?'

'Dan kunnen wij ibs aanvragen.'

'En dat betekent?'

'In bewaring stellen.'

'Dat lukt je nooit. Ik ben toch geen gevaar voor mijn omgeving?'

'De politie vermoedt dat je je eigen huis in brand hebt gestoken.'

'Ach, welnee. Ik was niet eens in de buurt tijdens die brand.'

'Iemand heeft dat gas open laten staan.'

'Iemand speelt een smerig spel.' Ik schoof mijn bord weg. Het liefst zou ik het door de keuken smijten. En Victors sigaar achter in zijn strot duwen. Het begon te gonzen in mijn hoofd. Ik moest hoe dan ook bij mijn kinderen blijven. 'En als ik je zeg dat ik van nu af aan mijn medicijnen braaf zal slikken?'

'Ik ben bang dat ik daar niet nog een keer aan toe kan geven.'

'Jullie hebben dit al bekokstoofd, hè? Als ik niet meega, tekent mijn zus voor ibs en word ik platgespoten afgevoerd…'

Victor plukte aan zijn oorlel. 'Wij willen het beste voor jou. Je kinderen zijn hier veilig. Ans is dol op ze. Ze zal heel goed voor ze zorgen, tot je weer bent opgeknapt.'

Ik moest ze loslaten. Dat was de enige manier. Ik stond met mijn rug tegen de muur. Ze waren veilig bij Ans. 'Oké. Ik ga mee. Laat me alsjeblieft nog even afscheid nemen van de kinderen en mijn spullen pakken…'

'Goed, meisje. Het is echt het beste. En neem dan ook meteen dit in.'

Hij haalde een tablet uit zijn zak en drukte het in mijn hand.

'Oplossen in water, dat is beter voor je maag.'

Mijn handen beefden. Ik pakte een glas, vulde het met water en gooide de pil erin. Met een theelepeltje roerde ik tot hij helemaal was opgelost. Daarna dronk ik het glas in één teug leeg.

'Goed zo. Ik zal Ans roepen om je te helpen met pakken.'

'Laat maar. Dat kan ik wel alleen.'

Hij verliet de keuken. In de gang hoorde ik hem een nummer op zijn mobiele telefoon intoetsen. Ik had geen tijd te verliezen.

34

Ik duwde mijn wijsvinger ver achter in mijn keel, voorbij mijn huig, zo diep mogelijk. Het moest lukken. Vroeger lukte het ook, wanneer ik te veel had gedronken en nog een hele nacht door moest. De tranen schoten in mijn ogen. Ik kokhalsde, maar er kwam niks omhoog. Ik moest me concentreren. Concentreren op het kotsen. Ik ging door mijn knieën en hing met mijn hoofd over de rand van de bril. Stak twee vingers nog dieper naar binnen en hield ze daar. Mijn keel verkrampte. Ik kokhalsde weer en nog een keer en toen kwam de golf bitter, warm vocht naar buiten. Ik spuugde de darmen uit mijn lijf, net zo lang tot ik zeker wist dat er geen spoortje van Victors pil meer in mijn lijf zat.

De kinderen sliepen. Het warme licht van de kerstversiering bescheen hun stille gezichten. Wolfs mond hing half open, zijn duim hing in zijn mondhoek. Merel lag met haar rug naar de deur, opgerold onder haar dekbed. Haar haren plakten aan haar gezicht.

Ik ging naast haar zitten, drukte een kus op haar wang. Ze rook naar pepernoten en slaap. Merel kreunde en draaide haar hoofd weg van mijn hand. 'Dag, lieve Merel. Ik hou van je. Het komt allemaal goed.' Ik legde mijn wang tegen de hare en snoof nog één keer haar heerlijke geur op. Ik wilde haar niet verlaten. Zomaar uit haar leven verdwijnen zoals haar vader had gedaan. Ik zou terugkomen. Zo snel mogelijk.

Ik stond op en liep naar Wolfs bed. Toen ik naast hem ging zitten, draaide hij zich op zijn rug en legde zijn handen naast zijn hoofd. Ik streelde zijn krullen en ernstige gezichtje. 'Dag, Wolfie.' Ik kuste hem op zijn mond. 'Dag mammie,' antwoordde hij zachtjes en schor en hij draaide zich weer om.

De deur van hun slaapkamer ging langzaam open. Victor keek om het hoekje. 'Ben je zover, Maria?'

Ik schudde mijn hoofd.

'Kom maar. Ans zal goed voor ze zorgen. Kom, zachtjes, we mogen ze niet wakker maken.'

Ik stond op en liep naar de deur.

Victor begeleidde me naar de trap. Hij klopte zachtjes op mijn rug, een soort halfslachtige poging om me te troosten.

'Wacht,' zei ik halverwege de trap. 'Ik moet nog één ding pakken.'

'Dat haalt Ans wel, zeg maar wat het is,' antwoordde Victor, terwijl hij me voor zich uit leidde.

'Nee. Ik weet waar het ligt. Ik moet het meenemen. Het is een foto van de kinderen.'

Victor zuchtte. 'Ik haal hem wel, vertel me maar waar ik die foto kan vinden.'

Ik draaide me om en liep weer naar boven.

'Luister. Ik werk mee, ik heb die pil van je geslikt, ik ga mezelf boven heus niet van kant maken. Ik wil niet dat jij of Ans in mijn spullen rommelt. Hij zit in een doosje met dierbare dingen. Laat mij hem nou gewoon even halen.'

'Oké. Ik wacht beneden.'

Ik hoorde de gangdeur dichtslaan. Ans vroeg Victor waar ik bleef. Toen ze me niet meer konden zien, schoot ik mijn slaapkamer in, pakte mijn grijze wollen coltrui van de stoel, griste mijn tas van het bed en opende de balkondeuren. Ik had geen tijd om na te denken. Geen tijd om bang te zijn. Ik klom over de houten balustrade en sprong.

Met een enorme smak belandde ik in het bevroren zand. Even duizelde het in mijn hoofd en was ik bang dat restjes van die pil toch hun werk deden. Mijn linkerenkel deed vreselijk pijn. Maar ik schoot onmiddellijk overeind en zette het op een lopen. Zo hard mogelijk, het duin af, het strand op, waar het donker was. Daar zou niemand me zien. Het was ijzig koud buiten, het sneeuwde nog steeds.

Ik struikelde over iets en rolde door de sneeuw naar beneden. Ik hoorde Victor en Ans mijn naam roepen. Ik strompelde overeind, klemde mijn tas en mijn trui tussen mijn armen en rende naar de vloedlijn, waar het zand harder was. Victor zou me achternakomen. Ik moest zo snel mogelijk richting het donker, naar het noorden, weg van de bewoonde wereld.

Het was wonderlijk stil aan het strand. De zee kabbelde zachtjes, er stond geen wind en sneeuw dwarrelde uit de zwarte lucht. Ik hoorde alleen mijn eigen gehijg. Mijn longen brandden in mijn borstkas. Ik wist niet hoe lang ik dit nog vol zou houden. Het beetje conditie dat ik had gehad, was ik na ruim twee weken kettingroken wel kwijt. Ik rende door, zonder iets te zien, door mijn pijn heen. Ik wist dat Victor het eerder op zou geven dan ik. Hij was ouder, dikker en rookte net zoveel. Nog even, nog even doorgaan en ik was van hem af.

Mijn voeten werden nat, het water drong door mijn laarzen. Mijn hart bonkte tegen mijn ribben. Heel ver weg riep Victor wanhopig mijn naam. En dat ik niet bang hoefde te zijn.

Ik kon niet meer. Mijn ogen traanden, waardoor ik nauwelijks nog iets zag, mijn voeten waren nat en verdoofd van de kou. Ik viel, krabbelde weer overeind en strompelde richting de donkere duinen. Ik was inmiddels buiten Victors blikveld. Als ik het duin op klom, en het bos zou bereiken, was ik veilig.

Zand knarste tussen mijn tanden. Ik struikelde steeds weer in het rulle zand. Ik klom op handen en voeten de duinen op, haalde mijn spijkerbroek en mijn bovenbeen open aan het prikkeldraad. Ik trok mezelf omhoog, aan het helmgras. Pas bij de bomen mocht ik rusten.

Eenmaal boven zette ik het weer op een lopen. Dwars door rozenbottelstruiken en distels, richting de hoge dennenbomen. Mijn mond was droog en het bloed bulderde door mijn lichaam, zó hevig, dat ik even bang was dat mijn hoofd uit elkaar zou spatten. Buiten adem bereikte ik het bos, waar het aardedonker was. Ik hoorde Victor niet meer.

35

Het was zo stil in het bos, dat ik mijn bloed hoorde suizen in mijn oren. Dankzij het oplichten van de sneeuw zag ik nog íets. Ik leunde hijgend tegen een dikke spar en blies in mijn verkleumde handen. Ik was doorweekt van zweet en sneeuw en voelde iets warms langs mijn been sijpelen. Bloed.

Ineens kon ik geen stap meer verzetten van de pijn. Mijn linkerenkel klopte gevaarlijk. Ik ging zitten op mijn trui en pakte een aansteker en sigaretten uit mijn tas. Mijn handen trilden en tintelden zo erg, dat ik mijn peuk niet aangestoken kreeg. Ik vloekte. Wat een waanzin. Wat deed ik hier in godsnaam? Wat moest ik nu doen? De vrieskou kroop over mijn rug. Ik kon hier niet blijven, dan zou ik doodvriezen. En zouden mijn kinderen opgroeien met het idee dat ik inderdaad psychotisch was. Ze zouden net zo eenzaam en kwaad worden als Ans en ik. Niet in staat om een echte band met iemand aan te gaan, niet in staat iemand anders of elkaar te vertrouwen.

Uit mijn keel ontsnapte een soort pieperig snikje. Het leek wel alsof al mijn kracht uit me wegstroomde en ik werd bang. Verschrikkelijk bang. Bang dat Wolf of Merel iets zou overkomen terwijl ik niet bij ze was. Dat een van hen ziek zou worden, of een ongeluk zou krijgen. Dat ze pijn zouden hebben, of erger, dood zouden gaan en ik ze nooit meer warm en levend in mijn armen zou voelen. Wat had ik ze aangedaan door ze zo plotseling te verlaten?

Ik frunnikte steeds opgefokter aan mijn aansteker om vuur te krijgen, iets van warmte en licht en omdat ik wilde roken om te kalmeren. Ik zou stoppen. Als alles achter de rug was, als het ooit goed zou komen, hoe dan ook, dan zou ik nooit meer een sigaret aanraken. Voor Merel en Wolf.

Eindelijk lukte het me een vlammetje uit de aansteker te krijgen. Ik hield mijn hand eromheen, tot het weer uitwaaide. Wat nu? Ik moest iemand bellen. Geert. Maar wat zou Geert voor me kunnen doen? Hij zou alleen maar woest worden en een scène maken bij Ans. En diep in mijn hart durfde ik Geert nog steeds niet volledig te vertrouwen. Er was maar één man die ik kon bellen.

Ik diepte met mijn stijve vingers mijn telefoon op uit mijn tas en zette hem aan.

'U heeft drie voicemailberichten' stond er op het verlichte schermpje. Twee oproepen van Ans, één van een onbekend 06-nummer. Ik belde mijn voicemail.

'U heeft geen bereik.'

Ik veegde met mijn mouw het koude snot onder mijn neus vandaan en hees mezelf overeind. Een scheut van pijn schoot door mijn been, zo hevig, dat de tranen spontaan in mijn ogen schoten. Je had verdomme in de Himalaya en god weet waar bereik, maar in het overvolle Nederland hoefde je maar een bos in te lopen en je kon niet meer bellen. Ik doolde maar wat rond, strompelend, en wist niet welke kant ik op moest. Nergens brandde licht, nergens een teken van leven. Ik ging weer richting de duinen en probeerde nog een keer te bellen. Het lukte.

'Maria, alsjeblieft, kom terug. Het is koud buiten… (Victor mompelde wat op de achtergrond) *Over alles valt te praten.'*

En nog een keer.

'Maria, ik hoop dat je me hoort. Doe alsjeblieft geen rare dingen. Denk aan je kinderen. Kom terug. Alsjeblieft.'

En daarna Victor. 'Maria, waar je ook bent, we willen je alleen maar helpen. Als je bang bent, of in de war, of wat dan ook, bel me dan, of bel de crisisdienst: 0800-050...'

Ik hing op en ging op zoek naar het kaartje van Harry Menninga.

Vier keer toetste ik zijn nummer verkeerd in met mijn inmiddels bijna bevroren vingers. Ik had het zo koud door mijn natte kleren dat ik begon te klappertanden. Ik schudde mijn armen en benen om weer warm te worden, maar het hielp allemaal niks. Als Harry niet op zou nemen, moest ik gaan lopen.

Hij nam op. Blijkbaar stond hij in de kroeg, want hij schreeuwde zijn naam en gilde erachteraan of ik een momentje had. Ik hoorde hem naar buiten lopen, tussen pratende en lachende mensen door. Het feestgedruis verstomde en ik kon hem eindelijk verstaan.

'Met Harry...'

Mijn kaakspieren waren zo verstijfd dat ik nauwelijks kon praten.

'Wie is daar?'

'Hoi, met Maria.'

'Ha, Maria. Wij hadden toch morgenavond een afspraak?'

Ik wilde niet in tranen uitbarsten. 'Je moet me helpen. Ik zit met een probleem, ik sta hier ergens in een bos...'

'In een bos? Wat is er? Wat doe je daar? Het is min tien buiten!'

'Dat is een lang verhaal, dat vertel ik je straks wel. Ik weet niet echt waar ik ben. Kun jij me ergens oppikken?'

'Hoe kan ik dat nou doen als je zelf niet eens weet waar je bent?'

'Volgens mij zit ik ergens tussen Bergen en Bergen aan Zee.'

'Ben je bij een fietspad?'

'Nee. Tenminste, ik zie niks. In de verte zie ik alleen de duinen.'

'Oké, rustig. Even denken. Wacht. Zie je op die duinen een soort toren staan?'

Ik tuurde. Ik zag niks.

'Draai je eens om. Sta je onder aan een heuvel, of erbovenop?'

Ik keek om. Achter me was het bos, dat inderdaad wat omhoog leek te lopen.

Ik wist het. Ineens drong het tot me door waar ik me bevond. Hier op de heuvel stond Bio Vakantieoord. Het fietspad en de zeeweg moesten vlakbij zijn. Ergens naar links.

'Ik weet het. Ik sta onder het duin waarop Bio Vakantieoord ligt.'

'Oké, luister. Ik rij er nu heen en jij loopt naar de weg. Ik parkeer daar en laat mijn lichten branden. Dan moet je me kunnen vinden. Anders bel je me.'

'Ik moet zeker weten dat jij het bent. Ik ben hier niet veilig.'

'Bel me als je me ziet. Dan knipper ik met mijn licht.'

'Goed. Maar als je een andere auto ziet staan, rij je door! Dan bel jij mij.'

'Afgesproken. Ik ben er over tien minuten.'

In Harry's auto zat ik nog steeds te klappertanden, ondanks de muffe, warme walm van zijn autoverwarming. Toen hij mijn bloedende dijbeen zag, vloekte hij binnensmonds en overhandigde me een doos tissues. Ik depte mijn wond schoon en zag dat het een flinke winkelhaak was die eigenlijk gehecht zou moeten worden.

'Volgens mij moet je daarmee naar de eerste hulp,' zei Harry, terwijl hij de auto startte en overdreven veel gas gaf. Uit de boxen dreunde Simply Red.

'Nee, dat kan niet.' Ik probeerde zoveel mogelijk op mijn rechterbil te zitten, om te voorkomen dat ik zijn leren stoel bevuilde.

'Waarom niet? Wat is er met je gebeurd?'

Ik kon alleen maar met mijn hoofd schudden.

Onderweg keek ik naar de lichtjes en het besneeuwde landschap. Mijn kinderen sliepen. Ik had beloofd morgen leuke dingen met ze te doen. Ze zouden wakker worden, om een uur of zeven, en naar mijn bed rennen. Ze zouden me zoeken en roepen, totdat Ans ze zou vertellen dat ik er niet was. Ze zouden haar bestoken met vragen. Waar was ik naartoe? Waarom? Wanneer kwam ik terug? En mama had nog zo beloofd...

Als ze bij iemand de juiste antwoorden zouden krijgen, dan was het wel bij Ans. Met mijn kinderen was ze fantastisch. Dat was een even geruststellende als pijnlijke gedachte.

36

Harry wees naar de bank en zei: 'Ga zitten,' maar dat durfde ik niet. Ik zat vol zand, zeewater en bloed en kon onmogelijk op het oogverblindend witte katoen van de bank gaan zitten. Ik rilde en stopte mijn handen onder mijn oksels.

'Zou ik mogen douchen?' vroeg ik hem, en hij begon wat onhandig te lachen.

'Natuurlijk. Wat stom van mij. Je moet inmiddels half bevroren zijn. Kijk, hier is de badkamer.'

Hij schoof een houten paneel opzij en liet me voorgaan. Ik stapte in een kleine, betonnen ruimte, even sober als zijn woonkamer. Hij opende een kast achter een grote spiegel en wees me de handdoeken en zijn badjas. Die kon ik aantrekken na het douchen, als ik wilde. Hij zou droge, schone kleren voor me zoeken.

Mijn lichaam tintelde door het warme water. Ik spoelde het zand uit mijn haren en schrobde mijn armen en benen. Ze zaten onder de krassen van de distels en struiken. De winkelhaak in mijn linkerdijbeen bloedde nog steeds en mijn enkel werd dik en blauw. Ik draaide met mijn schouders en voelde dat mijn spieren verzuurd waren. Morgen zou ik verschrikkelijke spierpijn hebben.

Ik draaide de douche uit en pakte de wollige, naar muskus ruikende grijze handdoek. Harry had over elk detail in zijn woning nagedacht. Alles was op kleur op elkaar afgestemd. Op zoek naar een tandenborstel opende ik het kastje boven zijn wastafel en daar stonden in een grijze beker een tandenborstel en tandpasta van de Bodyshop. Zelfs zijn deodorant en het doosje pijnstillers waren grijs. Ik kende maar één andere man die net zo begaan was met zijn uiterlijk en lifestyle: Steve. Alle andere mannen die ik had ontmoet, bekommerden zich daar in het geheel niet om. Sliepen op een matras op de grond, naast hun stereo, totdat ze een vriendin kregen die hun erop wees dat er ook bedden bestonden. Maar dat was een andere scene. Dat waren muzikanten. Harry was makelaar. Een man van details.

Hij klopte op de deur en reikte me, terwijl hij keurig zijn hoofd wegdraaide om me niet in verlegenheid te brengen, een sweatshirt, joggingbroek en Nike-sokken aan. Ik plakte een steriel gaasje, dat ik in zijn medicijnkast had gevonden, op de wond in mijn been en schoof me in zijn zachte vrijetijdspak. Daarna durfde ik pas op zijn witte bank te gaan zitten.

De kamer geurde naar verse espresso. Harry kwam de kamer binnen met twee kopjes espresso en gaf er eentje aan mij.

'Zo. Je ziet er in ieder geval beter uit dan net. Wil je wat bij de koffie? Ik heb whisky, cognac, armagnac, sambuca, Tia Maria, amaretto…'

'Armagnac graag.'

Hij pakte twee grote cognacglazen uit een kastje naast de bank en schonk twee flinke bellen armagnac in. Ik pakte het glas aan, duwde mijn neus erin en snoof de geur van dure alcohol zo diep mogelijk op. Dit was wat ik nodig had. Als ik er niet zo'n verschrikkelijke kater van kreeg, zou ik dit spul iedere dag drinken.

Ik nam een slok en genoot van het brandende effect op mijn tong, in mijn keel en slokdarm. Harry stak twee Marlboro's aan en gaf er een aan mij.

'Kun je me nu vertellen wat er gebeurd is?'

Hij ging tegenover me zitten. Ik aarzelde even. Ik wilde niet dat ook hij aan mijn verstand zou gaan twijfelen. Maar toen ik eenmaal begon te praten, kon ik niet meer stoppen. Ik wilde hem vertrouwen, al had ik daar eigenlijk geen enkele reden toe. Ik wilde dat hij me zou redden uit deze vreselijke puinhoop.

Terwijl ik sprak, schonk hij armagnac bij, stak sigaretten op, smeerde rijpe boerenbrie op warm knapperig stokbrood en wisselde cd's. Af en toe stelde hij een vraag. Knikte en vouwde zijn handen voor zijn mond. Toen ik uitgesproken was, legde hij zijn hoofd achterover en zuchtte.

'Mijn hemel,' mompelde hij en een kort moment was ik bang dat hij de telefoon zou pakken om het crisiscentrum te bellen.

'Ik weet dat het een bizar verhaal is. Ik kan het zelf bijna niet geloven. Er zijn momenten geweest waarop ik ook dacht dat ik krankzinnig aan het worden was. Maar de dreigbrieven die ik heb gehad, waren echt. Mijn ex heeft ze ook gezien.'

Harry keek me aan, alsof hij in mijn ogen kon zien of ik de waarheid sprak.

'Weet je, als niemand je gelooft, dan ga je uiteindelijk aan jezelf twijfelen. Het is echt vreemd hoe dat werkt. Zíj hoeven niet te bewijzen dat ik gestoord ben, ík moet bewijzen dat ik het niet ben. Maar hoe bewijs je zoiets? En ondertussen loop ik gevaar. Lopen mijn kinderen gevaar. En ik sta machteloos.'

Hij stond op en liep peinzend rond terwijl hij naar zijn voeten staarde. Ik nam nog een slok. Harry zweeg en ik werd nerveus van zijn gestaar en het getoeter van Miles Davis. Ik realiseerde me dat ik de hele dag nog nauwelijks iets had gegeten en nu zo lam als een konijn aan het worden was. Ik vroeg hem om een glas water. Hij liep naar de keuken en kwam terug met een groot glas vol water en tinkelende ijsblokjes. Ik dronk het in één teug leeg.

'Weet je,' begon Harry. 'Ik geloof je. Ik weet niet waar ik dat op baseer, want ik ken je nauwelijks. Het is mijn gevoel. Ik kan alleen niet geloven dat Martin zo ver zou gaan. Dat vind ik een vreselijk idee.'

Hij ging naast me zitten. Zijn voet wiebelde ritmisch op de muziek. Ik pakte de ijsblokjes uit mijn glas en legde ze op mijn pijnlijke enkel, die inmiddels dieppaars was.

'Dat ziet er niet goed uit. Mag ik?' Hij pakte mijn voet, heel zachtjes, legde hem in zijn schoot en trok voorzichtig mijn sok van mijn voet. Hij vroeg me mijn tenen te bewegen. Dat lukte, al deed het pijn. Hij legde zijn handen om mijn enkel en draaide hem voorzichtig naar links en daarna naar rechts. Ik kreunde van de pijn.

'Gekneusd, denk ik. Niet gebroken. Ik zal een ijskompres voor je maken. En ik heb nog wel ergens een zwachtel. Momentje.'

Hij legde mijn voet op een kussentje. Ik voelde ineens een enorme aandrang om hem te zoenen. Hij geloofde me. Hij verzorgde me.

Harry verbond mijn enkel en legde het ijskompres erop.

'Ga maar lekker liggen,' zei hij en hij schikte een paar kussens in mijn rug. Ik leunde achterover.

'Ik ben blij dat je mij hebt gebeld. Wij kunnen elkaar helpen. Hoe zit het met de sleutel van Martins kantoor?'

Ik wees naar mijn tas. Hij pakte hem en gaf het zanderige ding aan mij. Ik zocht en graaide tussen lippenstiften, aanstekers en koekkruimels, en diepte de sleutel met het blauwe boeitje op. Ik had hem niet verloren.

'Super,' zei Harry, en hij schonk ons beiden nog wat in.

We proostten. Ik vroeg of hij niet wat beters had dan Miles Davis. Hij zei dat niemand beter was dan *good old* Miles, maar als ik erop stond… Wat wilde ik horen? Iets wat paste bij te veel armagnac drinken, in het holst van de nacht, op de bank van een vreemde.

'Ik had jou niet ingeschat als een moeder.' Hij keek me aan.

'Waarom niet?'

'Je bent zo'n stoere vrouw. De moeders die ik ken, lopen in makkelijke broeken en op gezonde schoenen. Ze zijn altijd kribbig en gehaast en fietsen door de regen met zo'n fluorescerende kar achter zich aan, vol kleumende koters.' Hij grinnikte om zijn eigen definitie van het moederschap.

'Dat zijn de goede moeders. Die cijferen zichzelf weg om hun kinderen een gezonde, beschermde jeugd te geven. Ik ben meer zo'n ontaarde, panische moeder, die alles mee wil maken en overal bij wil zijn en de kinderen naar school stuurt in hun pyjamabroek omdat ze die nacht vergeten is de wasmachine aan te zetten.'

'Jij lijkt mij een enige moeder.'

'Ik weet het niet. Ik hou van mijn kinderen. Volgens mij is dat het belangrijkste wat je ze kunt geven. Liefde. Ik vind het heerlijk om met ze te ravotten en te dansen en te zingen. Ik doe liever gek met ze dan dat ik een berg was strijk, of ze op tijd naar bed breng. Ik hou ze wel eens een dagje thuis, als het vreselijk weer is. Dan kruipen we met z'n drieën in bed en kijken we naar de video van E.T. Maar dat kan natuurlijk helemaal niet. Die kinderen moeten naar school. En op tijd naar bed. En leren hun kamer op te ruimen. Broccoli eten. Iedere dag douchen. Sporten…'

'Ik denk dat die kinderen van jou een veel leukere jeugd hebben dan die kids die de hele dag in zo'n fietskar van hot naar her gezeuld worden door hun overspannen moeder, die al hysterisch wordt als ze hun melk niet opdrinken.'

'Zegt de perfecte makelaar, met zijn minimalistische huis, zijn keurig gestreken overhemden, zijn vlekkeloze witte bank en zijn designtandenborstel. Volgens mij ben jij eng netjes.'

'Klopt. Ik kan niet tegen rommel. Dan kan ik niet nadenken, niet ontspannen. Ik vind opruimen ook heerlijk. Ik kan helemaal opgaan in het schoonmaken van mijn huis. Ramen open, lekker plaatje op…'

We lachten naar elkaar. Zijn hoofd raakte mijn been. Zo bleef hij liggen, met zijn hoofd bijna in mijn schoot, een glimlach om zijn mond, zijn ogen kijkend in de mijne. Het zweet brak me uit. We wisten allebei niet meer wat we moesten zeggen. Het was al beslist. Op het moment dat zijn hoofd mijn been raakte, was er geen weg meer terug. Hij vroeg of hij me mocht kussen en ik knikte. We kusten. Zijn warme handen schoven onder mijn sweater en streelden mijn rug, gleden langzaam naar beneden, richting mijn billen, die hij zachtjes en onzeker omvatte, alsof ik hem ieder moment kon laten ophouden. Ik hield hem niet tegen. Ik haalde mijn handen door zijn haar en streek mijn lippen langs de zijne, waarna onze tongen elkaar vonden. We kusten met ogen open, ik wilde voelen en zien dat ik niet alleen was.

Harry trok de sweater over mijn hoofd en keek naar mijn kleine borsten. Betastte ze, aaide mijn tepels, zoog eraan en kuste me weer, gulziger. Hij zuchtte mijn naam en kuste mijn ogen, ik knoopte zijn overhemd los, trok zijn hemd uit en streelde zijn gespierde, gladde borst. Hij likte in mijn oor en via mijn hals vond hij zijn weg naar mijn borsten, mijn buik, mijn navel, kippenvel vloog over mijn huid toen hij mijn broek uittrok en met zijn hoofd tussen mijn benen dook.

Zachtjes trok ik hem weer omhoog, ik wilde niet dat hij verdween, ik wilde in zijn ogen kijken en zijn lijf op het mijne voelen. Ik voelde geen pijn meer. Ik knoopte zijn spijkerbroek open en bewonderde zijn strakke, warme buik, gleed met mijn hand in zijn boxer, hij kreunde en hapte naar mijn mond, veerde overeind en sjorde zijn broek uit. Ineens hadden we haast, grote haast, alsof we geen seconde meer te verliezen hadden, we wilden dieper en harder, in elkaar kruipen, we klauwden ons aan elkaar vast, wanhopig, als dieren, we zogen, knepen en krabden, en toen hij bij me binnendrong, brak ik. Ik snikte en kermde, tranen stroomden over mijn wangen.

'Doe ik je pijn?' fluisterde hij geschrokken. Ik schudde mijn hoofd en glimlachte naar hem. Ik gleed met mijn vinger langs zijn wenkbrauwen, zijn neus, zijn lippen. Hij likte mijn tranen op en veegde de haren uit mijn gezicht. We lachten. Hij verdween dieper in mij, drukte zijn liezen tegen de mijne en stopte met bewegen. Hij torende boven mij uit, leunend op zijn armen, zocht mijn blik en begon weer te stoten. 'Ik kom,' kreunde hij en ik aaide zijn billen en zei dat het goed was.

37

Harry sliep. Hij snurkte zachtjes en lag tegen me aan, met zijn hand op mijn buik. Ik was wakker. Een knallende koppijn en een volle blaas hielden me uit mijn slaap. Ik rolde me onder zijn arm vandaan en ging op de rand van het bed zitten. Alles deed pijn en mijn enkel was nog dikker geworden. Ik hinkte naakt over de koude stenen vloer naar de badkamer, op zoek naar paracetamol.

Ik keek in de spiegel. Mijn gezicht was gezwollen van de drank, mijn mascara uitgelopen, rond de wond boven mijn oog zat een grote paars met gele blauwe plek en mijn haren stonden alle kanten op, als een bos stro. Harry moest wel erg dronken geweest zijn. En ik? Wat had mij bezield? Waarom stortte ik me altijd, als een eenzaam klein kind, in de armen van de eerste de beste man die aardig tegen me deed? Ik haatte mezelf. Juist nu was het belangrijk mijn hoofd erbij te houden, me erop te concentreren dat ik mijn leven weer terugkreeg.

Ik ging op de wc zitten en verstopte mijn gezicht in mijn handen. Ik bibberde van de kou en dat voelde goed, ik werd er helder van. De kou maakte me helder. Ik betastte mijn lippen die nog nagloeiden van onze heftige kussen.

Buiten werd het licht. Het moest inmiddels een uur of acht zijn. Het sneeuwde niet meer. Ik dacht aan mijn kinderen, die nu waarschijnlijk al een uur wakker waren. Het idee dat ze zich nu zorgen om mij maakten, dat ze bang en boos waren, was bijna ondraaglijk.

Ik pakte mijn tas en zocht naar mijn sigaretten. Er zat er nog één in mijn pakje. Ik vond mijn aansteker en de sleutel van Martins kantoor. Ik klemde mijn hand eromheen en kuste hem. 'Laat ons alsjeblieft wat vinden. Wat dan ook,' zuchtte ik. Mijn stem was nog schor van te veel drank, sigaretten en te weinig slaap.

'Wat zit jij in jezelf te praten.' Harry zat rechtop in bed. Hij gaapte en rekte zich uit.

'Ook goedemorgen. Ik had het tegen de sleutel van Martins kantoor. Zie je nou dat ik mesjoche ben?'

'Tja, ik dacht al zoiets, vannacht. Je ging zo tekeer, ik dacht: die is zo gek als een deur.' Hij lachte en stapte uit bed. Hij sloeg het dekbed om zijn schouders, liep naar me toe, ging tegenover me zitten en nam me in zijn armen.

'Je bent versteend. Zit je hier al lang?' Ik legde mijn hoofd tegen zijn warme borstkas. Zelfs na een nacht als deze rook hij nog fris. We wiegden heen en weer, met het dekbed om ons heen.

Onder de douche spoelde ik de sporen van onze vrijpartij af. Ik waste mijn gezicht, schoor mijn oksels en mijn schenen met zijn scheermesje, knipte mijn teennagels en masseerde mijn dijen woest met zijn massagehandschoen. Het liefst ging ik nog uren door met het peuteren aan mijn lichaam, in deze sobere ruimte vol warme stoom. Wenkbrauwen epileren, puistjes uitknijpen, oren schoonmaken, nagels vijlen, nagelriemen terugduwen, eelt wegvijlen. Ik begreep ineens waarom Steve zich altijd uren verstopte in de badkamer, na een ruzie met mij. Het had iets troostends om te pulken aan je teennagels, het was een aangename manier om problemen voor je uit te schuiven, in de hoop dat alles zich buiten de deur van deze vochtige, tijdloze ruimte vanzelf op zou lossen. Maar ondertussen lag het verlangen naar mijn kinderen als een steen op mijn maag.

Harry stond fluitend in zijn grijze badjas de gekookte eitjes af te gieten. Zijn vrolijkheid stoorde me. Ik ging zwijgend aan tafel zitten en voelde me zweterig, ondanks mijn uitgebreide doucheritueel. Hij zette een pot thee, een mandje met warme broodjes, twee eitjes in grijze eierdopjes en twee glazen verse jus neer. Ik dronk het glas jus in één teug leeg en voelde het zure spul branden in mijn slokdarm.

'Heb je nog koffie?' vroeg ik en hij veerde weer op om koffie te zetten.

'Met melk of espresso?'

'Dubbele espresso, alsjeblieft.'

Ik kon geen hap door mijn keel krijgen. Op de automatische piloot begon ik in mijn tas naar sigaretten te zoeken, tot ik me realiseerde dat ik eerder de laatste had opgerookt.

'Jij hebt zeker geen sigaretten in huis?'

'Jawel. In de kast moet nog een pakje liggen. Camel. Ik pak het wel even.'

Ik pakte de Camels aan en stak er meteen een op. Bij het eerste trekje hoestte ik als een oude, astmatische zwerver.

'Klinkt lekker.'

'Sorry, hoor. Ik voel me gewoon ontzettend beroerd. En ik spat bijna uit elkaar van de zenuwen. Als het aan mij lag, ging ik nu al naar Martins kantoor.'

Harry keek kauwend naar de stationsklok in de keuken en leek na te denken.

'Het is nu negen uur. Laten we een plan bedenken.'

Een plan. Ik had er ineens geen enkel vertrouwen meer in. Hoe konden we ooit ongemerkt in Martins kantoor komen? En wat als het ons lukte? Waar moesten we zoeken? Wat moesten we zoeken? Stel dat we niks zouden vinden? Dat Ans ons zou betrappen? Als dat gebeurde, had ik geen schijn van kans meer. Dan zat ik morgen in het gesticht.

'Het komt goed, Maria. Je moet erin geloven dat het goed gaat. Echt. Ik weet de weg in Martins boekhouding, hij kan geen tonnen verduisteren zonder een spoor na te laten.' Harry schonk zichzelf nog wat thee in.

'Misschien heeft hij alles vernietigd. Of in een kluis liggen.'

'Hij heeft toch een computer? In die computer moet iets te vinden zijn.'

'Maar zo'n computer is toch beveiligd met een wachtwoord?'

'Een wachtwoord is nooit een probleem. Hij zal niet zo stom zijn om zijn geboortedatum als wachtwoord te hebben, maar het moet ook een woord zijn dat hij zelf nooit vergeet en dat anderen niet snel zullen raden. En ik denk dat ik zijn wachtwoord weet…'

Harry leunde met zijn ellebogen op de tafel en wendde zijn ogen van me af. Hij begon te friemelen aan het cellofaantje van de Camels.

'Wat? Wat is het dan?'

'Volgens mij heeft Martin een vriendin. Tijdens mijn zoektocht naar hem hoorde ik van verschillende kanten dat het tussen hem en Ans niet goed ging en dat hij gesignaleerd was met een blonde vrouw. Niemand kon me meer over haar vertellen, maar gisteravond, vlak voor je me belde, zei een vrouwelijke collega van hem dat ze Annabel heet. En volgens mij is dat zijn wachtwoord.'

'En dat vertel je me nu pas?'

Ik stond op en hinkte naar het raam. 'Als we vanavond willen gaan, moeten we iets op die enkel van mij verzinnen.'

Harry bood aan hem nogmaals in te zwachtelen en in te smeren met pijnstillende zalf. Met wat pijnstillers zou het beter gaan. En zo niet, dan ging hij alleen.

'Nee. Ik ga mee. Wat er ook gebeurt. Dit is mijn probleem.'

Ik ging op de vensterbank zitten en keek naar buiten, naar een typische zondag in Alkmaar. De sneeuw was op de straten tot blubber verreden en op het ijs in de gracht stond een dun laagje water. Het leek alweer te gaan dooien. De winter in Nederland duurde nooit lang.

Martin had een vriendin. Misschien wilde hij opnieuw beginnen met haar. Daarom had hij Harry gevraagd Duinzicht te taxeren. Als dat zo was, betekende dat dat Ans en mijn kinderen ook gevaar liepen.

'Ik denk,' zei Harry, 'dat hij op de vlucht is geslagen. Hij was met iets bezig, het ging goed, hij had meer geld nodig, dat kreeg hij van mij, en toen is er iets misgegaan. Hij heeft niet meer de gelegenheid gehad om de zaak af te ronden.'

'Misschien is hij wel dood. Vermoord door zijn hebberige Annabel…'

'Dat kan niet. Tenminste, toen hij er met mijn geld vandoor ging, leefde hij nog. Vanaf dat moment begon hij jou te stalken.'

Harry keek me ernstig aan. Hij zag er moe uit. In dit licht zag ik dat hij ooit last had gehad van jeugdpuistjes. Dat verklaarde zijn overdreven verzameling huidverzorgingsproducten. Hij pakte mijn hand. 'Wat ik me afvraag… Wat is Ans' rol hierin? Zou ze echt van niks weten, of vertelt ze je gewoon niks…'

'Ans is absoluut geen prater. Ze houdt zich liever bezig met andermans problemen dan met die van haarzelf. Het plaatje van haar leven moet perfect zijn. Ik denk dat ze meer weet over Martin, maar dat zal ze mij nooit vertellen. In ieder geval heeft ze zware huwelijksproblemen en ook daarover wil ze niks kwijt.'

'Vertrouw je haar?'

Ik schrok van zijn vraag. 'Ze is mijn zus! Denk je dat ik mijn kinderen achterlaat bij iemand die ik niet vertrouw? We zijn niet erg close met elkaar, maar als het erop aankomt…'

'Oké. Ik vind het alleen vreemd dat ze jou niet in vertrouwen neemt over haar problemen met Martin. Het lijkt me dat je dat soort dingen juist met je zus bespreekt.'

'Wij bespreken niks. Hebben we nooit gedaan. We hielpen elkaar wel, vroeger, maar altijd zonder woorden. En later, toen ik het huis uit ging, zijn we uit elkaar gegroeid. Zij voelde zich in de steek gelaten door mij, en ik ergerde me aan haar *Miss Perfect*-gedrag, aan het feit dat ze alles beter wist, beter deed en beter begreep. Ze probeerde altijd mijn moeder te spelen en dat vond ik vreselijk.'

'Maar toen je weg moest uit Amsterdam, was zij de eerste waar je naartoe ging.'

'Ik had niemand anders.'

'Je hebt geen vriendinnen?'

Ik schudde mijn hoofd. 'Niet echt. In ieder geval niet buiten de stad.'

'Ook niet van vroeger?'

'Nee. Zullen we hierover ophouden? Laten we het over belangrijker zaken hebben. Zoals: hoe gaan we het vanavond aanpakken?'

38

Het was donker en Bergen aan Zee leek verlaten. Slechts enkele wandelaars met honden waagden zich hier buiten, voorovergebogen tegen de wind. De sneeuw was grotendeels gesmolten. Harry en ik zaten in zijn auto te wachten tot Ans het huis verliet. Het werd koud en we probeerden de kou en de spanning te verdrijven door te roken. Ze kwam maar niet.

Ik had haar een halfuur eerder gebeld, dat ik in een motel in Akersloot zat, twintig minuten rijden hiervandaan, en dat ik het helemaal niet meer zag zitten. Ze wilde me direct komen halen. Ik zei haar dat als ze Victor mee zou nemen, ik er onmiddellijk weer vandoor zou gaan. Ze moest alleen komen. Haar vertrouwde ik. Verder niemand. Dat beloofde ze. Ze zou een oppas regelen voor de kinderen. Ik hoorde Wolf en Merel op de achtergrond en vroeg haar of ik ze even aan de lijn mocht, maar Ans antwoordde dat dat haar niet echt verstandig leek. Ze had ze eindelijk rustig en het horen van mijn stem zou ze alleen maar van streek maken. Ik verbrak de verbinding en gooide de telefoon op de bank.

Mijn handen waren inmiddels gevoelloos van de kou. Harry stelde voor om koffie te drinken in het hotel waarnaast we geparkeerd stonden. 'We kunnen haar ook door het raam zien. Kom op, straks zijn we zo versteend dat we niet eens meer kunnen bewegen.'

We stapten uit en liepen naar binnen. In de bar van het hotel was het donker en muf, alsof er nooit een streep zonlicht binnenviel. Het stonk er naar oude koffie, sigaren en speculaas. De dikke serveerster kwam zuchtend van haar barkruk af toen ze haar enige klanten binnen zag komen. Harry bestelde twee koffie en ik nam alvast plaats achter een groot raam dat zicht bood op Ans' voordeur.

Zwijgend zaten we te staren. De serveerster smeet twee kopjes voor ons neer, badend in een voetbad, en ze schoof het bonnetje onder het armzalige kerststukje. Ze wilde de rode kaars aansteken, maar Harry zei haar dat dat niet hoefde. Daar kreeg hij hoofdpijn van. Ze haalde haar schouders op en slofte terug naar de bar, waar haar sigaret smeulend in de asbak lag te wachten.

Harry keek op zijn horloge en daarna naar mij.

'Ze moet toch inmiddels wel vertrekken, wil ze om halfnegen in Akersloot zijn.'

'Misschien gaat ze helemaal niet. Heeft ze Victor en Van Dijk op me af gestuurd.'

'Zou ze dat doen? Dat we daar niet goed over nagedacht hebben…'

'Ik weet het niet, Harry. Het lijkt me dat ze wel gaat. Ik bedoel, als ze me werkelijk wil helpen. Ik heb het haar toch uitdrukkelijk gevraagd…'

'Misschien denkt ze dat je haar weg wilt lokken bij de kinderen. Je moet haar bellen. Of ze al onderweg is. Hier, neem mijn telefoon. Ik heb geen nummerherkenning.'

'Wat moet ik zeggen?'

'Maakt niet uit. Als ze dat huis maar uit gaat.'

'We kunnen toch ook wachten tot ze gaan slapen?'

'Waar ben je bang voor? Toch niet voor je zus?'

Hij hield zijn telefoon voor mijn neus. Ik nam hem aan en toetste haar nummer. Mijn handen werden klam.

Ans nam licht hijgend de telefoon op.

'Met mij… Ik zit op je te wachten…' Mijn stem haperde en sloeg over. Het gaf niet: ik moest zo verward mogelijk klinken.

'Ik kom maar niet weg. Ik heb hier een klein probleem.'

'Maar je moet komen. Ik kan hier niet langer alleen zitten…'

'Ik doe mijn best. Maar Wolf is ziek en hij wil niet dat ik wegga. En ik kan die oppas niet alleen laten met een kind dat overstuur is…'

'O god, wat heeft hij?'

Harry keek geschrokken op. Hij duwde een bierviltje en een pen in mijn richting. Ik schreef: *Wolf ziek!*

'Hij is misselijk. Hij spuugt en hij heeft koorts. Hij vraagt de hele tijd naar jou.'

Harry schreef snel iets op het viltje en gaf dit weer aan mij: *Smoes! Wil jou naar huis lokken!*

'Wil je me alsjeblieft komen halen?'

'Kun je geen taxi nemen daar? Ik betaal…'

'Nee, sorry, Ans. Ze laten me hier niet gaan. Ik heb geen geld. Ik ben bang!'

'Je bent dronken.'

'Die meneer hier zegt dat hij anders de politie belt…'

Ik begon te sniffen. Snot liep mijn neus in. Het was niet gespeeld. Mijn kind was ziek en ik voelde me mijlenver van hem verwijderd. Het deed fysiek pijn. Alsof mijn hart uit mijn lijf werd gerukt.

'Geef die meneer maar even…'

Ik gaf de telefoon aan Harry en probeerde mezelf weer een beetje in de hand te krijgen. Wolf was niet ziek. Het was een list.

Harry stond haar arrogant te woord. 'Uw zuster heeft ontoereikend saldo en kan dus haar rekening niet betalen… Nee, ik kan geen taxi bellen en we doen niks meer op rekening. Ervaring heeft ons geleerd dat rekeningen en de kosten die ermee gepaard gaan, zelden voldaan worden… Zeg, moet u eens luisteren, het is úw probleem. Als u haar niet binnen een uur hebt opgehaald en haar reke-

ning hebt voldaan, ben ik genoodzaakt de politie erbij te halen…
Nee… Fijn. Ik zie u zo dadelijk. Goedenavond.'

Triomfantelijk klapte hij zijn telefoon weer dicht.

Ik huiverde, ondanks de benauwde deken van warmte die in de bar hing.

'Let op,' zei Harry. 'Daar komt ze al.'

Ans rende, weggedoken in haar jas, naar haar auto. Even later scheurde ze weg, het duin af en langs ons raam. Het was halfnegen. We hadden krap een uur voordat ze woedend terug zou keren.

39

De sticker DEZE WONING IS BEVEILIGD DOOR ATRON BEVEILIGINGS-
SYSTEMEN bleek uitsluitend op de deur geplakt om inbrekers af te
schrikken. Eenmaal binnen was er gelukkig geen beveiligings-
systeem te bekennen. Martins kantoor was ingericht als een ouderwetse herenkamer. Donkere houten lambriseringen, klassiek groen
behang op de muren en hier en daar een schilderijtje.

In het midden van de ruimte stond een groot, antiek bureau met
groenlederen inleg en daarop een *flatscreen*beeldscherm, een draad-
loos, ergonomisch gevormd toetsenbord en een grote stapel on-
geopende post. Zijn zwartleren Filofax lag open. Tegen de brede
wand stond een kast, van hetzelfde donkere hout als de lambrise-
ring, vol ordners en hangmappen. De bovenste plank was gereser-
veerd voor boeken.

Harry ging aan het bureau zitten en zette de computer aan. Het
ding begon te gonzen en te piepen en vroeg al snel om een wacht-

woord. Harry tikte de naam van Martins vermeende vriendin in: Annabel. Hij drukte op 'enter'. Het antwoord was een boos pingeltje. *'Het opgegeven Windows-wachtwoord is onjuist.'*

'Niks aan de hand, niks aan de hand,' mompelde Harry, meer tegen zichzelf dan tegen mij. Hij duwde mijn hand van zijn schouder.

'Vind je het erg? Laat me maar even. Het lukt wel, heus.'

Hij tikte en tikte en steeds weer klonk het boze antwoord. Ik bladerde ondertussen door de post. Een golfmagazine, grote enveloppen van banken en verzekeringsmaatschappijen, brieven van de belasting, taxatierapporten, jaarverslagen van grote ondernemingen, folders en brochures, tekeningen van te bouwen projecten, allemaal informatie waar ik niets mee kon. Ik opende de blauwe enveloppen van de belastingdienst en zag dat Martin zijn belasting keurig automatisch betaalde. Ook zijn bankafschriften vertoonden een positief saldo.

Van de afrekeningen van zijn effectennota's snapte ik helemaal niets en deze legde ik apart voor Harry. Het enige wat ik eraan kon zien, was dat hij ruim een half miljoen op zijn beleggersrekening had staan en dat hij zich tot maandag 30 oktober actief had beziggehouden met het kopen van aandelen.

'Yes,' riep Harry toen er uit de computer een golf van synthesizerherrie kwam. 'Ik zit erin. "Belle", het was gewoon "Belle". Geen "Annabel". Ha.'

Ik keek op de klok. We waren een kwartier binnen.

Het geld dat Harry op 23 oktober op Martins rekening had gestort, was ontvangen op 25 oktober en onmiddellijk doorgesluisd naar een andere beleggersrekening. Het stond allemaal keurig op de afschriften in een ordner. Ik kon nog wel meer ordners doorspitten, maar ik was bang dat ik er weinig mee op zou schieten. Martin hield zijn smerige zaakjes buiten de boeken. Ik begon te vermoeden dat we op de verkeerde plek zochten.

Ik spitte zijn bureaulades door, maar vond niets anders dan nietjes, een doos pennen, paperclips, stapels foto's van zijn zeilboot en een golftripje met een aantal kerels, zes pakken Sultana's en in de onderste la van zijn rechterkastje een fles Bushmill's sixteen-year-old single malt Irish Whiskey en een fles Augier Frères Cognac uit 1906 met twee cognac- en twee whiskyglazen. Ik vond nog een mapje foto's van Martins golftripje met collega's en herkende Harry onder een rode honkbalpet, gehuld in een afschuwelijk rood-geel gestreepte polo.

Het driftige geklik van Harry op de muis leverde net zo weinig op. Alle transacties die Martin on line had gedaan, zagen er brandschoon uit. Geen rekening in het buitenland, geen exorbitante uitgaven, geen geheimzinnige e-mails of chatsessies. Harry vloekte.

'Er is niks. Hij heeft mijn geld belegd in aandelen en obligaties in Amerikaanse it-fondsen en die zijn omhooggeschoten. Hij heeft geld voor me verdiend. Zonder hem kan ik er alleen niet bij, verdomme.'

'Hebben jullie niet een soort contract daarover getekend?'

Ik pakte Martins agenda en begon deze door te bladeren.

'Hij zou dat regelen. Die maandag de dertigste hadden we afgesproken om de boel rond te maken. En toen kwam hij niet opdagen.'

Harry vond zevenendertig bestanden in Martins digitale prullenbak. Het was vijf over negen. Nog tien minuten.

Binnen in de kaft van zijn agenda zaten tientallen kaartjes. Ik snelde erdoorheen, maar geen van de namen op de kaartjes zei me iets. Notarissen, advocaten, restauranteigenaren en een kaartje van een *auberge* in Frankrijk. Die legde ik apart, evenals twee creditcards en zijn anwb-pas. Vreemd dat hij die niet mee had genomen.

'Misschien heeft hij een andere mee,' zei Harry. 'Zit er geen afschrift van zijn creditcardmaatschappij bij de post?' Hij trok de stapel naar zich toe en begon er haastig in te zoeken. Hij vond twee enveloppen.

Tussen de laatste pagina's van Martins agenda zat een doorzichtig plastic mapje met daarin een ponsplaatje en een afsprakenkaart van het Medisch Centrum Alkmaar. Het afgelopen jaar had hij vijf afspraken op de polikliniek voor gynaecologie gehad. Ik nam het mapje uit de agenda en liet het aan Harry zien.

'Wat moet een man bij een gynaecoloog?'

Harry zat naar het afschrift van Martins American Express Card te staren.

'Dit is het afschrift van de creditcard die hij nu op zak moet hebben. Hij heeft er maar één transactie mee gedaan. Op 27 oktober heeft hij getankt bij Shell. Hij heeft ook geen geld meer gepind sinds 28 oktober. Heeft hij een bak met zwart geld mee of zo? Ik snap niet waar hij nu anders van rondkomt. Hier, kijk, zijn telefoonrekening van november. Hij heeft niet meer mobiel gebeld.'

Ik keek op de klok. Het werd tijd om te vertrekken. Harry propte de afschriften in zijn zak en ik stak het mapje met de afsprakenkaart in mijn tas.

'Ik heb hier een heel naar gevoel over,' fluisterde Harry. 'Hij lijkt van de aardbodem verdwenen. Het klopt niet.'

Gehaast deed hij de bureaulamp uit en hij wenkte naar me dat ik op moest schieten. Hij liep naar de deur en ik wilde hem volgen, toen een heftige pijnscheut in mijn enkel ervoor zorgde dat ik door mijn been zakte. Ik viel, probeerde direct weer overeind te komen en stootte daarbij Martins prullenmand om. Die zat vol met proppen papier en opengescheurde enveloppen. Mijn oog viel op een gescheurd A4'tje, waarop slechts één regel stond, helemaal bovenaan: 'http://www.mttu.com/abort-gallery/index.html pagina 3 van 3'.

Dat kwam me bekend voor. Het was de regel die boven aan de afbeeldingen van de geaborteerde baby's stond die hij mij had opgestuurd. Ik propte het papier in mijn zak en strompelde richting de deur. En voordat het tot me door kon dringen dat Harry er buiten wel heel vreemd bij lag, werd ik getroffen door een doffe klap in mijn nek, zag ik sterren uiteenspatten en zakte ik door mijn knieën.

40

Een hond blafte in de verte. Ik wilde mijn ogen openen, maar het lukte niet. Alsof ze dichtgeplakt waren met secondelijm. Ik had verschrikkelijke dorst. Fel licht scheen op mijn gezicht en ik was niet eens in staat mijn hoofd af te wenden. Mijn handen zaten vastgebonden aan weerskanten van een bed, evenals mijn voeten. Ik zat opgesloten in een bewegingsloos lichaam. Ik kon niets zien, niets voelen, niets doen, behalve wegglijden in een onrustige slaap. Af en toe gleed er een stille schaduw door de kamer, boosaardig zwijgend. Hardhandig werd mijn gezicht ingesmeerd met een bijtende zalf, en mijn nek verbonden, strak, waardoor ik nauwelijks nog lucht kon krijgen. Iemand knipte het verband weer los met een schaar, schoor mijn hoofd kaal en trok mijn billen omhoog. Uren lag ik met mijn blote kont te rillen boven een steek, tot mijn rug leek te breken van de pijn. Ik liet alles lopen en ik wist niet zeker of dit werkelijk gebeurde.

Na deze behandeling stak hij een naald in mijn arm, waarna ik van torenhoge flats viel, in mijlendiep water, vloog ik door de lucht en stortte ik in de grilligste ravijnen. Of mijn kinderen werden voor mijn ogen gemarteld, opgehangen en onder water geduwd, terwijl ik vocht om los te komen, mijn ogen te openen, wilde schreeuwen, maar er kwam geen geluid uit me en mijn lichaam was versteend en vastgeklonken.

Andere keren gaf hij me pillen waarvan ik moest kokhalzen en waardoor ik bijna stikte. Eén keer sloeg hij me omdat ik ze met mijn gezwollen tong mijn mond uit duwde. Hij propte de tabletten weer naar binnen, duwde ze me door de strot en hield me zo buiten bewustzijn. Soms dacht ik dat ik dood was en in de hel. Of in de isoleercel van het gekkenhuis lag.

Ik was alle besef van tijd en plaats kwijt. Licht wisselde donker af, en de kou de smerige warmte. Maar op een gegeven moment begon de pijn in mijn hoofd weg te ebben en kreeg ik stukje bij beetje controle over mijn gedachten. En mijn eerste heldere gedachte was: waarom maakt hij me niet gewoon af? Waarom sluit hij me op, bindt hij me vast, drogeert hij me? Wat is zijn plan? Daarna begon ik me langzaam te realiseren dat ik nog een kans had zolang hij me in leven hield. Als ik mijn geest maar scherp hield.

Steeds vaker wist ik onder mijn tong de pillen te verstoppen, zonder dat hij het in de gaten had. Als hij vertrok, spuugde ik ze uit, zo ver mogelijk bij me vandaan. Het nadeel was dat de pijn toenam. Pijn van het roerloos in bed liggen, pijn in mijn nek, pijn in mijn spieren en botten, die kraakten en piepten bij de geringste beweging. En de honger. Ik had pijn van de honger en dorst.

Ik tastte met mijn vingers naar de touwtjes waarmee ik lag vastgebonden. Het waren katoenen repen stof, geïmproviseerde boeien. Het voelde alsof ik in een echt ziekenhuisbed lag. Ik draaide mijn hoofd en langzaam kwam er beweging in mijn nek, kon ik mezelf een klein stukje naar beneden schuiven, waardoor ik onder de blinddoek uit kon kijken. Het licht dat in mijn gezicht scheen, bleek afkomstig van een klein raampje links, helemaal bovenin, waardoor de zon naar binnen straalde. Voor het raampje zaten tralies. Meer dan dat kon ik niet zien.

Weer blafte er een hond, hoog en kefferig. Waarom hoorde ik steeds honden? Was er een kennel in de buurt? Of een dierenarts? Ik concentreerde me op de geluiden buiten. Af en toe reed er een auto voorbij. Ik hoorde ze afremmen. Autodeuren slaan. En dan geblaf. Opgetogen geblaf. Dat kon maar één ding betekenen: ik was nog steeds in Bergen aan Zee. Mensen reden hier af en aan om hun honden uit te laten langs het strand.

Deze ontdekking maakte me even wanhopig. Merel en Wolf moesten hier vlakbij zijn. O god, mijn kinderen. Ze dachten dat ik ze in de steek had gelaten. Ik zag ze voor me, in hun pyjamaatjes op de bank, met Ans, die hun haren streelde en ze troostte, die mijn plek innam. Mijn zus zou goed weten hoe ze met hun getraumatiseerde zieltjes moest omgaan. Ik spande de spieren in mijn armen, probeerde mijn handen uit de boeien te wringen, en er ontstond meer ruimte. Ik voelde onder aan de bedrand een schroefje zitten en wreef erlangs, al begon mijn pols te kloppen en te schrijnen.

Tot ik voetstappen hoorde. Lichte, gehaaste voetstappen, een trap af, steeds dichterbij. De deur rammelde, een sleutel werd in het slot gestoken. Ik rook gebakken knoflook. Ik kon de blinddoek niet meer voor mijn ogen schuiven. Ik keek en zag een gestalte in spijkerbroek en een zwarte coltrui. Een gestalte met borsten, die naar parfum rook. Ze liep op me af, boog zich over me heen, haar haren kriebelden langs mijn gezicht. Haar nagels krasten over mijn voorhoofd en ze trok de blinddoek weg.

Ans glimlachte naar me en legde haar hand op mijn voorhoofd alsof ze wilde voelen of ik nog verhoging had. 'Kijk eens aan,' zei ze, 'onze patiënt is aardig opgeknapt.'

41

Even dacht ik dat ik weer hallucineerde. Ik had toch iets van die pillen binnengekregen en dit was het gevolg. Een nachtmerrie. Mijn
eigen zus die me vastbond aan dit bed.

Maar ik voelde haar handen over mijn kale hoofd glijden. En ik
hoorde haar stem. Ik rook haar bloemige parfum. Ze boog zich over
me heen en keek in mijn pijnlijke ogen. Met haar vingers bette ze
mijn oogkassen, die dik en gezwollen aanvoelden. Ze zette duim en
wijsvinger op mijn neus en wiebelde er voorzichtig aan.

'Doet dit pijn?' vroeg ze, en ik knikte, terwijl de tranen in mijn
ogen sprongen.

'Je bent lelijk terechtgekomen. Het ziet er nog steeds niet best
uit.'

Ze liep terug naar de deur, draaide de sleutel om en pakte een stapel beddengoed dat op de zitting lag van een rood klapstoeltje
waarvan we er vroeger veel hadden, op het terras van het pension.

'Ik moet je bed verschonen. Je hebt er zo'n verschrikkelijke smeerboel van gemaakt. Ik maak je los en dan moet jij even op dat stoeltje gaan zitten. Red je dat?'

Ik probeerde antwoord te geven, mijn mond te openen en geluid voort te brengen, maar er kwam alleen maar hoog gepiep uit en ik begon verschrikkelijk te hoesten. Ik moest wat drinken. Mijn mond, mijn keel, mijn tong, mijn lippen, het voelde allemaal als uitgedroogd leer.

Ans pakte een beker met een rietje erin. Ze hield het rietje voor mijn mond en ik realiseerde me net op tijd dat ik er niet van moest drinken. Overal konden medicijnen in zitten. Ik zou geen slok nemen uit haar hand. Ik perste mijn lippen op elkaar en verzette me tegen de aandrang om een slok te nemen, om vocht in mijn mond te voelen. Ze duwde het rietje tegen mijn mond.

'Kom op, Maria, je moet wat drinken. Het is gewoon water.'

Ik wendde mijn hoofd af en piepte: 'Ik moet jouw water niet.'

Ze kneep in mijn neus, zodat ik geen lucht meer kreeg en mijn mond wel moest openen.

'Als we zo gaan beginnen, dan moet het maar kwaadschiks.'

Een flits van verzengende pijn schoot door mijn neus, en ze goot het water uit de beker mijn mond in. Ik stikte bijna en hoestte alles weer uit. Het water droop langs mijn kin in mijn hals. Ans werd woedend. Haar neusvleugels trilden, haar mond werd een streep en ze siste tussen haar tanden door dat ze er genoeg van had mij altijd op te vangen, altijd voor iedereen klaar te staan, en dat er maar één telefoontje voor nodig was, ééntje maar, en het was afgelopen met mij.

Ze trok een kaart uit haar achterzak en wapperde ermee voor mijn ogen.

'Kijk, Maria! Dit heb jij gedaan met je neukertje! Iedereen is naar je op zoek! Ik zou me maar koest houden als ik jou was…'

Ze wierp de kaart in mijn schoot.

Door geweld is op brute wijze bij ons weggerukt
Onze dierbare, allerliefste zoon, kleinzoon, broer en schoonbroer

Harry Menninga

Het was geen klap in mijn gezicht, maar een mokerslag. Harry was dood.

'Ik heb hem niet vermoord…' fluisterde ik geschokt, en ik besefte tegelijkertijd dat ik deels verantwoordelijk was voor zijn dood. Ik had zijn hulp ingeroepen.

'Nee, hoor. Jij bent de onschuld zelve, nietwaar? Jij doet nooit een vlieg kwaad.' Ze schudde gespannen met haar hoofd.

Ik schraapte mijn keel. 'Waarom heb je me vastgebonden?' De woorden kwamen lodderig mijn mond uit.

'Omdat je hysterisch was. Je was een gevaar voor jezelf. Je sloeg en je beet en je schopte. Ik moest wel.'

'Je hebt me pillen gegeven, en injecties…'

'Vind je het gek? Ik moest je kalmeren, anders was je jezelf blijven verwonden.'

'En nu? Nu ben je niet meer bang dat ik je aanvlieg?'

'Het lijkt erop dat je weer voor rede vatbaar bent. Nu is het mijn zorg je weer op te lappen.' Mijn knevels waren los en ze hielp me voorzichtig overeind te komen. Alles deed zeer. Ze sloeg de dekens van me af en maakte mijn enkels los. Ik schrok van mijn benen. Ze lagen er knokig en uitgedroogd bij en zaten vol blauwe, bijna zwarte plekken. De huid op mijn schenen schilferde en mijn enkels waren paars.

'Beweeg ze eens.'

Ik trok mijn benen op en dat lukte, al voelden ze slap als pudding. Ans legde mijn arm om haar schouder en hielp me van het bed af te komen. Mijn voeten raakten de betonnen vloer en ik stond, zij het nogal bibberig. Samen strompelden we naar het rode stoeltje.

Het was koud in deze ruimte en ik droeg alleen een T-shirt en een onderbroek. Ik betastte mijn gezicht. Het voelde dik en knobbelig. Rond mijn ogen en op mijn neus zaten korsten.

'Waarom heb je mijn hoofd kaalgeschoren?!'

'Je had luizen. Het was een onmogelijke klus om die uit die enorme bos haar van je te krijgen.'

Ze vouwde een kussensloop open, sloeg hem uit en stroopte hem over het kussen. Dat bijtende spul dat ik had gevoeld. Dat was antiluizenlotion geweest.

'En de kinderen? Hadden zij het ook?'

'Ze hebben allemaal luis. En niemand heeft ergens tijd voor. Jullie doen er gewoon niks aan. Je snapt toch wel dat je met luizen alles moet schoonmaken, Maria? Alles! En als dat niet helpt, moeten de haren eraf. Het is de enige manier. Maar nee, hoor, die kindertjes moeten allemaal van die schattige leuke kapseltjes en frutsels en gel en je mag niet in de buurt komen met een kam, want dan zetten ze een keel op. Ik wilde Merel kammen met de netenkam en ze vraagt doodleuk: "Wat krijg ik ervoor?" Wat is dat voor opvoeding? Dat ze voor alles wat ze gewoon moeten doen iets krijgen?'

'Heb je hen ook…?'

'Natuurlijk! Wolf zei: "O, dat hebben we zo vaak. Kriebelmannetjes." Hij zei dat er niks vies aan was. Ik zei dat het wel vies was en dat ik een manier wist waardoor ze nooit meer terug zouden komen.'

Ik kreunde. Mijn hart brak. Ik dacht aan Merel en haar prachtige, dikke, glanzend zwarte haren. Hoe trots ze erop was.

Met opgetrokken neus trok Ans de smerige lakens van het bed. Eronder zat een plastic matras. 'Het is maar goed dat ik je in mama's kamer heb gelegd. Anders had je mijn matras naar de filistijnen geholpen.'

Met een dweil nam ze het plastic af. Ze liep heen en weer zoals mijn moeder vroeger deed, driftig, neurotisch, als een tijger achter tralies.

'Ans, wat is er gebeurd? Waarom sluit je me hier op?'

'Omdat ze je zoeken.' Ze wees naar me met een priemende vinger. 'Jij hebt die kerel neergeslagen. Hier voor de deur. Je hebt hem met een steen geslagen en geslagen, tot hij morsdood was. Gelukkig kon ik je verstoppen voordat de politie kwam.'

Ik sloeg mijn armen om mijn middel en wiegde zachtjes heen en weer, om mijn emoties onder controle te houden, om niet uit te barsten in panisch verdriet. Mooie, lieve Harry. Ik dacht aan zijn gladde, olijfkleurige huid en zijn zachte ogen. Zijn lippen, die me gestreeld en gekust hadden. Wat had ik gedaan? Waarom had ik hem hierbij betrokken?

'Ja Maria, je hebt er weer een lekker zootje van gemaakt.'

Ans trok een hoeslaken over het matras en gleed met haar handen over de vouwen.

'Dat heb ik niet gedaan. Ik kwam naar buiten en toen lag hij daar al. En daarna kreeg ik een klap op mijn kop. Hoe komen ze erbij dat ik hem neergeslagen zou hebben?'

'Jij bent met hem gezien. In het hotel, hiertegenover. Jouw sigaretten lagen in zijn auto.'

'En wat zou mijn motief dan zijn? Waarom zou ik iemand met wie ik bevriend ben, doodslaan?'

'Weet ik veel. Je hebt hem gek gepraat over Martin, dat Martin jou zou bedreigen. Daarna heb je hem zover gekregen dat hij met je meeging het kantoor in. Wat daar is gebeurd, dat is de politie ook nog een raadsel, maar jij bent hun enige verdachte.'

'En wat denk jij?'

'Ik denk niks. Ik denk dat je moet rusten.' Ans greep me onder mijn oksel en hielp me overeind.

'Verdomme, Ans! Hoe kom ik aan die wond in mijn nek? En die wonden op mijn neus en mijn ogen?'

'Je bent lelijk gevallen. Ik móest je wel slaan. Je was volslagen hysterisch.'

Ik rukte mijn arm los uit haar greep en ze keek me woedend aan.

'Je hebt alleen mij nog, Maria, en ik zou maar niet gek doen. Je gaat lekker slapen en straks breng ik eten. Dan praten we verder.'

Ik ging op het bed liggen. Mijn hoofd tolde. Ze sloeg de stijve, schone lakens over me heen en pakte mijn hand. 'Nee.' Ik trok mijn hand weg. 'Je bindt me niet meer vast. En ik wil mijn kinderen zien!'

'Het moet, Maria. Ik wil niet dat je jezelf wat aandoet.'

'Ik waarschuw je, echt…'

'Jij hebt mij niet te waarschuwen! Ik bel de politie en dan kun je Merel en Wolf meteen gedag zeggen!'

Ze had meer kracht dan ik. Het kostte haar weinig moeite me weer aan het bed te knevelen. Ze haalde een roze pillendoosje uit haar zak, nam er een pilletje uit, pakte het glas water van het kastje en hield beide voor mijn mond. Ik keek haar in de ogen en liet haar het pilletje op mijn tong leggen. Ik dronk water door het rietje en verborg de pil tussen mijn wang en mijn tanden.

Ans tikte op mijn wang. 'Doe open.'

Ik weigerde. Ze kneep met haar duim en middelvinger keihard in mijn kaakspieren en toen moest ik mijn mond wel opendoen. Ze tastte hardhandig door mijn mond, vond de pil, duwde hem met haar scherpe nagel door mijn keel en goot het water erachteraan. Daarna sloeg ze me. Zo hard dat mijn oor suisde. Ik wist het, ik wist het heel zeker: mijn zus was me langzaam aan het vermoorden. En ze genoot ervan. Daarom wachtte ze zo lang met de genadeklap.

42

De pil deed zijn werk. Ik zonk weer weg, dit keer in helblauw, warm water. Ik zwom naar het licht, naar de plek waar de zon in het water scheen. Ik kwam boven en haalde adem. De zon was zo fel, zo wit, dat ik mijn ogen niet kon openen. Ik wilde terugzwemmen naar het strand, maar ik kon niet zien welke kant ik op moest.

Ineens stond ik midden in Bergen. Het was warm, benauwd, mijn T-shirt kleefde aan mijn lichaam en het zweet stond op mijn hoofdhuid. Drommen mensen slenterden door het dorp, met ijsjes en patat in de hand. Er was iets. Een feest. Overal hingen lampionnen en ik hoorde orgelmuziek. De orgelman kwam naar me toe en rammelde met zijn bakje, een oorverdovend gerammel, en hij bleef me maar achternalopen, welke kant ik ook op ging. Ik had geen geld bij me en dat probeerde ik hem duidelijk te maken, toen ik zag dat het Martin was. Hij pakte me bij mijn arm en wilde me meesleuren, terwijl hij met het rammelende bakje voor zich uit wees.

'Daar zijn ze!' riep hij. 'Daar zijn ze! Ga erachteraan! Kom op, mens!' Ik deinsde terug en rukte me los uit zijn greep, dook weg tussen de mensen en ik hoorde hem roepen: 'Dat je het nog steeds niet snapt!'

Ik worstelde mezelf door de menigte heen, bang en totaal in paniek. Ik was mijn kinderen kwijt. Ik moest ze vinden. Ik riep hun namen, maar kwam niet boven het gegons van de mensen uit. Daar zag ik ze staan, in de rij voor de patattent. Wolf in zijn rode *Dragonball Z*-shirt, Merel in een geel-wit geblokt jurkje, een jurkje dat mijn moeder ooit gemaakt had voor Ans. Ans stond naast hen, ze hield Wolfs hand vast. Ik schreeuwde en Merel keek om. Ze keek me recht in mijn gezicht aan. Ik glimlachte naar haar en strekte mijn armen naar haar uit, maar ze herkende me niet. Ze draaide zich weer om en pakte de andere hand van mijn zus. Ans boog zich over haar heen en kuste haar. Een man liep tegen me aan en ik wankelde, viel om, klauwde naar voorbijgangers om me op te trekken en iedereen liep door, over me heen, mijn hoofd raakte de koude stenen, ik rook modder en regen, schoenen schopten in mijn buik, trapten tegen mijn dijen, ik dook in elkaar om mezelf te beschermen en alles werd bruin en nat.

Ik ontwaakte in de achterbak van een auto. Ik lag met mijn hoofd op een vieze, ruwe, vochtige mat die rook naar verzuurde wijn en aarde, en hobbelde pijnlijk heen en weer. Mijn handen waren op mijn rug vastgebonden.

Iedere keer wanneer de auto over een hobbel reed, of een bocht nam, hoorde ik achter me iets schrapen en schuiven. Het was een vreemd, klein, schraal geluidje dat ik misschien nooit gehoord zou hebben als mijn leven er niet van af had gehangen. Al voelde ik me nog zo slap en wazig, ik wist dat het er nu op aan zou komen. Dat ik al mijn zintuigen nodig had. Ik concentreerde me op het geluid, dat heen en weer schoof, en ontdekte dat het iets was wat steeds achter mijn rug langs rolde. Het klonk helder, als glas. Het moest iets van een scherf zijn die nog in de auto lag.

Ik bewoog mijn handen en mijn vingers, met alle kracht die ik nog bezat, om wat ruimte achter de knevel te krijgen, spreidde mijn vingers zo ver mogelijk en wachtte op het moment dat de scherf weer langsrolde. Er gebeurde niks. We reden op een recht stuk asfalt. Ik hoorde het zachtjes rinkelen, boven mijn hoofd, tegen de zijkant van de auto, en vreesde even dat het daar was blijven hangen. Ik probeerde mijn lichaam naar boven te schuiven door me met mijn voeten af te zetten, maar dat lukte niet. Ik lag volledig klem. Ik hoorde ook geen gerinkel meer.

Koortsachtig zocht ik naar een manier om mezelf te bevrijden, en ik probeerde te bedenken wat me te wachten stond als Ans de auto zou parkeren. Ze zou me vermoorden. Waarschijnlijk had ze mijn graf al gegraven. Naast dat van Martin. Op een plek waar nooit iemand zou gaan zoeken.

Ik wilde niet dood. Nooit eerder had ik zo'n sterke levensdrang gevoeld als op dat moment. Ik moest dit overleven. Mijn kinderen beschermen tegen deze vrouw. Ze mochten niet opgroeien met het idee dat ik een labiele gek was die iemand had vermoord en daarna de hand aan zichzelf had geslagen.

Ineens schoot de auto even naast de weg en daar klonk het kleine rinkeltje weer. Ans reed kennelijk omhoog een zandpad op, en ik spreidde mijn vingers en strekte mijn armen zo ver als ik kon. De scherf rolde iets naar rechts, en met mijn vingertoppen wist ik hem dichterbij te halen. Ik omklemde hem stevig en voelde warm bloed mijn handpalmen in lopen. Hij was scherp. Scherp genoeg om mijn leven te redden.

Met mijn vingers draaide ik het stuk glas om zijn vorm te voelen, een soort sikkel met aan het uiteinde een scherpe punt. Die punt probeerde ik achter het katoen te steken. Ik kon er net bij met mijn stijve, koude vingers, maar toen ik ermee probeerde te zagen, verkrampten mijn handen. Ik vloekte. Ik kon het niet loslaten, dan zou ik het nooit meer kunnen vinden, ik moest door de pijn heen, alleen voelde ik dan niet goed waar ik mee bezig was. Op dat moment begon de auto vreselijk heen en weer te schudden. Alsof we alleen maar door kuilen reden. Mijn hoofd knalde tegen de wielkast aan en mijn neus begon te prikkelen, alsof er water in liep dat naar mijn ogen optrok. Het tintelde. Toen stopte de auto abrupt en sloeg ik weer met mijn hoofd tegen de wielkast. Ik wist de glasscherf nog net met de toppen van mijn vingers te grijpen en er mijn handen omheen te vouwen.

De achterklep ging open. Ik keek naar mijn zus, die boven me uit torende in de nacht, en zag dat ze me haatte. Dat ik dat nooit eerder had gezien. Dat ik altijd had gedacht dat ik, ondanks alle ellende, nog een zus had die mij kende en van me hield, al begreep ze me niet. Wat een fatale vergissing.

Ze boog zich over me heen en sjorde aan mijn arm. Ik gaf mee, onmiddellijk, want ik wilde mijn wapen niet verliezen. Kreunend kwam ik overeind. De scherf sneed dieper in de muis van mijn hand. Ik zwaaide mijn knieën één voor één over de rand van de achterbak en stapte het zand in. We waren ergens in de duinen, vlak bij de zee, die in de verte kolkte. Ans was het fietspad op gereden, het duinreservaat in, en nu stonden we boven op een duintop in een snijdende noordwestenwind.

Ze begeleidde me naar de zitting aan de bestuurderskant en sommeerde me te gaan zitten. Ze bekeek mijn gezicht zonder me in de ogen te kijken en haalde een pakje zakdoekjes uit haar zak. Ze maakte mijn gezicht schoon, zoals ik zo vaak Wolfs gezicht schoon had gemaakt. Ze droeg latex handschoenen.

Al die tijd probeerde ik haar blik te vangen, maar het lukte niet. Ik dacht: als ik haar maar recht in de ogen kijk, als ik maar tot haar door weet te dringen, iets in haar weet aan te boren, iets van vroeger, toen we samen bang in bed lagen te luisteren naar het getier van onze moeder, misschien dat ze me dan spaart.

'Ans,' zei ik zachtjes. 'Ans? Wat ga je met me doen?'

Ze antwoordde niet. Ze gebaarde dat ik weer moest gaan staan, trok me weg bij de deur en sloeg deze dicht. Ze draaide hem op slot en nam me bij de arm.

'Kom,' zei ze. 'We gaan.'

'Nee,' zei ik. 'Ik ga nergens heen.' Ik plofte neer in het helmgras en dacht: ik moet tijd winnen. Vertragen, vertragen. Mijn krachten sparen. Ondertussen wriemelde ik met de scherf langs het touw, niet wetend waar ik precies in sneed.

'Maak me hier maar af. Waarom zou ik nog een roteind lopen? Je gaat me vermoorden en ik begrijp niet… Ik begrijp niet waarom, Ans?'

Ze stond naast me. Haar waxjas wapperde luidruchtig. Ik hoorde een vreemd soort geklik, onder de jas, waarvan ik vreselijk in paniek raakte. Het was het geklik van een pistool. Ze spande de hamer. Ze ging me echt hier ter plekke afschieten…

'Wacht. Ans… Ho. Ik loop mee…'

Tijd, ik had meer tijd nodig. Ik snikte. Zweet gutste uit mijn oksels, mijn hele lichaam verkrampte. Ik wilde niet dood. Al zou ik nog maar drie minuten leven, dan zouden die drie minuten de moeite waard zijn.

We liepen het duin af. Ans wilde me vasthouden, maar ik schudde me los. Ik mocht de scherf niet verliezen.

'Ligt Martin daar ook?' vroeg ik.

Ans zuchtte. 'Ik praat liever niet,' zei ze en ze stapte door, gehaast en kordaat.

'Ik ga liever niet dood. Maar nu dat toch gaat gebeuren, wil ik de waarheid weten. Dat is wel het minste wat je nog aan me kunt geven…'

Het was moeilijk om te lopen en te snijden tegelijk. De punt schoot langs mijn onderrug.

'Ik zal je vertellen waarom je dit verdient.'

Ze draaide zich naar me toe en keek me eindelijk aan met een ijskoude blik.

'Je bent een parasiet. Een vampier. Al vanaf de dag dat je ter wereld bent gekomen. Het was niet de bedoeling dat je geboren werd… Haar lichaam wilde van je af. Maar nee, hoor, ze ging plat en jij bleef lekker zitten. Zo begon het. En daarna is ze nooit meer de oude geworden. Ze is krankzinnig geworden door jou!'

'Jezus, Ans… Je weet toch dat dat niet zo is… Mama heeft de dood van Stephan nooit kunnen verwerken…'

'Nee. Het was al eerder begonnen! En jij! Jij kon er niet tegen dat mama zo veel verdriet had. Jij wilde alle aandacht. Alles. Altijd, en nu nog. Iedere vent die bij je in de buurt komt, moet naar jou kijken. Je werk… Eén schreeuw om aandacht. En die krijg je ook. Ik snap er niks van. Niemand heeft jou door! Zelfs Martin niet. Hij bewonderde je. Hoe je het toch allemaal deed. Zingen. Voor je kinderen zorgen. Geert overeind houden. En ook nog een abortus ondergaan…!'

Ze duwde keihard tegen mijn schouder, waarop ik omviel en van het duin afrolde. De scherf viel uit mijn handen. Ik graaide, schraapte over het bevroren zand, maar hij was weg...

Ans boog zich over me heen en wees met haar vinger venijnig in mijn gezicht.

'Dat was de druppel, Maria! De druppel. Ik kwam net thuis uit het ziekenhuis. Weet je waarom ik daar lag? Nou? Curettage! Ik moest gecuretteerd worden. Dan slobberen ze een dood kind uit je lichaam met een soort stofzuiger. Maar dat weet jij wel, hè, Maria? Jij hebt een levend kind laten verwijderen. Jij hebt een levend kind vermoord.'

Ik wreef en trok met mijn polsen aan het touw. Zand schuurde in mijn wonden. De knevel zat losser. Ans rukte me woedend omhoog en er knapte iets achter mijn rug. Het katoenen koord brak. Ze duwde me voort en stompte me zo hard in mijn rug dat ik schreeuwde. 'Schreeuw maar. Het maakt niet uit. Niemand hoort je hier of zal je komen zoeken.'

Ik struikelde weer en tuimelde voorover verder het duin af. Mijn handen waren los. Ik kon het op een lopen zetten. Ans zou op me gaan schieten, maar in het donker zou ze me moeilijk kunnen raken. En mocht ze me raken, mocht ze me doodschieten, dan kon ze niet meer beweren dat ik zelfmoord had gepleegd.

Ik zette mezelf af en rolde door tot ik het vlakke strand bereikte, veerde overeind om weg te rennen, keek even om en zag nog net dat Ans sprong en naar mijn nek greep. Samen vielen we weer in het zand.

'Vuile trut! Je bent los! Hoe heb je dat...'

Ik sloeg als een wilde om me heen, probeerde zand in haar ogen te gooien en haar in haar buik te schoppen, maar ze wist alles te ontwijken. Ze kneep in mijn keel, zó hard, dat het leek alsof mijn ogen uit hun kassen zouden springen. Ze dwong me met mijn gezicht in het zand en ik zag niets meer.

Ze zette de loop van het pistool tegen mijn hoofd.

'Kutwijf dat je er bent!' Ze gierde hysterisch, ze zat op mijn rug en trok mijn hoofd opzij. Ik hapte naar adem. Ze verplaatste de loop naar mijn slaap.

'Het spijt me, Ans. Echt. Ik wist het niet. Ik had je kunnen helpen. Ik kan je nog helpen. Kom op. Ik weet dat je dit niet wilt.'

Ze gaf weer een ruk aan mijn nek. 'Je verdient het niet! Jij en al die wijven die zich kapot zuipen en neuken en maar kinderen op de wereld zetten en anderen hun shit laten oplossen. Het is zó oneerlijk! Jij wilt alles… Je hebt alles. En het is nog niet genoeg. Terwijl ik… Ik heb nooit veel gewild. Behalve een gezin. Een kans op een goed leven. Ik probeer godverdomme alles goed te doen, maar het kan niemand wat schelen. En jij… jij leeft alleen maar voor jezelf. En jij krijgt liefde. Ze houden van je. Zelfs als je hun kind aborteert en ze het huis uit zet.'

Ze trilde. De loop van haar pistool klapperde tegen mijn hoofd. Ik moest haar aan de praat zien te houden.

'Maar jij had Martin toch? Hij hield van je…'

'Martin is een grote zak. Hij heeft me laten vallen als een baksteen. Na alles wat we samen hebben meegemaakt…' Haar stem brak. 'Hij wilde kinderen. Daar hadden we het over, steeds maar weer. Hoe geschikt ons huis was voor een groot gezin. Hoe anders we het zouden doen dan onze ouders. Maar ik werd gewoon weer ongesteld. Iedere maand. Weet je wat dat doet met je relatie? Nee, dat weet jij niet! Jij wordt gewoon zwanger omdat je bezopen bent en niet nadenkt. Jij krijgt kinderen die je niet wilt. Ik krijg een dood kind. Na vijf keer ivf, vijf keer pijn en hormooninjecties, vijf keer hoop. En het was eindelijk raak. Ik was zó blij. Twee maanden. Ik kotste mijn darmen uit mijn lijf, maar ik vond het niet erg. Ons kind leefde in mijn buik. Ik was er zo vol van dat ik niet in de gaten had waar Martin mee bezig was…'

Ze hijgde. Haar lichaam bewoog schokkerig. Ze pakte mijn arm en trok hem op mijn rug. Ze mocht me niet vastbinden. Met geknevelde handen maakte ik geen kans.

'Heb je hem vermoord?'

'Het was niet de bedoeling. Ik wilde alleen maar dat hij bij me bleef. En dat we doorgingen. Maar hij wilde niet meer. Hij vond dat ik veranderd was. Dat ik te geobsedeerd bezig was met kinderen krijgen. Ik moest het accepteren, zei hij. We hadden ons kindje verloren en misschien was dat het teken dat het niet zo mocht zijn. Hij vond dat ik meer contact moest zoeken met jou. "Maria heeft kinderen, daar kun je ook wat meer mee optrekken," zei hij. Optrekken. Alsof dat goed genoeg is. Toen vertelde hij dat hij met Geert had gesproken. Dat jij het ook heel moeilijk had. Dat jullie uit elkaar waren en dat je net een abortus achter de rug had. Schrijnend toeval, noemde hij het. "Nodig Maria een paar dagen bij ons uit. Kunnen jullie samen praten en lekker met de kinderen het strand op." Ha. Nou, dat heb ik gedaan, klootzak! Hier ligt ze, die sterke Maria! En haar kindertjes zijn bij mij. Ze zijn gek op me, weet je dat?!'

Dat maakte me kwaad. Zo verdomde kwaad dat al mijn spieren zich spanden, net op het moment dat ze mijn polsen provisorisch probeerde vast te binden en even niet alert was. Ik duwde mijn kont omhoog, trok mijn rechterarm los uit haar greep en sloeg tegen de hand waarmee ze het pistool tegen mijn hoofd hield. Ik draaide me om en wierp haar met een oerkreet van me af, ik voelde haar nagels in het vlees van mijn arm klauwen en haar knie in mijn maag, maar ik was sterker. Ik kwam omhoog en schopte haar van me af, ze klapte met haar hoofd op het bevroren zand en het pistool ging af.

We lagen allebei stil op het strand, uit het veld geslagen door de oorverdovende knal. Ik was de eerste die overeind krabbelde om te kijken of Ans zichzelf had verwond. Ik fluisterde haar naam en werd bang. Ze lag er roerloos bij. De wind en de zee bulderden om het hardst, een angstaanjagend geluid, en de maan was nu helemaal verdwenen achter de wolken. Het begon zachtjes te regenen. IJskoude druppels, die haar weer bij bewustzijn brachten, maar te laat, want ik had het pistool al te pakken. Het was een klein, zwart ding, kleiner en lichter dan ik had verwacht. Ik had nog nooit eerder een pistool gezien, laat staan vastgehouden, en ik wist dan ook totaal niet wat ik ermee moest, behalve het op mijn zus te richten, die me met blauwe, bibberende lippen aankeek.

'Je maakt een grote fout als je me doodschiet,' zei Ans.

'Als het moet, doe ik het. Ik laat me in ieder geval niet door jou afmaken.'

'Maria, je staat met je rug tegen de muur. Niemand gelooft je.

Hoe denk je dat het overkomt als je me doodschiet? Dan krijg jij tbs en hebben Merel en Wolf niemand.'

'Ik schiet je niet dood, ik neem je mee naar huis en jij gaat daar de waarheid vertellen.'

'Ze denken dat je gek bent. Victor heeft het allemaal aan de politie verteld. Een borderliner. Altijd al geweest. Psychotisch geworden na een abortus. Denkt dat iedereen tégen haar is, kan fantasie niet meer van werkelijkheid onderscheiden en creëert een stalker in haar hoofd. Ontoerekeningsvatbaar.'

Ans stond op en liep op me af.

'Geef maar hier, Maria, alsjeblieft. Of gooi het weg, ver weg in zee. Je wilt me niet echt vermoorden. Kom, lieverd, kom maar bij mij.'

Ik rook een sigarenlucht. Hij kwam van achteren, greep mijn pols en sloeg een arm om mijn middel. Tegenover me zonk Ans overstuur jammerend ineen.

'Het is goed, meisje, laat maar los. Kom, laten we niet nog meer ongelukken begaan.' Het was Victor.

43

Victor was niet alleen. Van Dijk en nog vier agenten stonden vlakbij, op het duin. Het helmgras werd grimmig verlicht door de zwaailichten van twee politiebusjes en een ambulance.

Hij had me niet hoeven overmeesteren, ik had het pistool zonder aarzelen aan hem gegeven. Ik wist dat het afgelopen was. Ergens was ik opgelucht geweest dat er iemand was gekomen die een einde had gemaakt aan onze slopende strijd. Ik zou mijn zus nooit neergeschoten hebben, en zij zou zich nooit hebben overgegeven. Vermoedelijk waren we beiden doodgevroren als er niemand had ingegrepen.

Weggekropen in een kriebelende, muf ruikende deken, met een beker gloeiend hete koffie en een scherp smakende Caballero in mijn schrale handen, kon ik alleen maar huilen. Tranen ontdooiden mijn bevroren wangen en drupten op mijn sigaret. Daar zat ik. Een kale, schuddende, jankende gek, met bloedende polsen. Het beeld had niet completer kunnen zijn.

De ambulancebroeder, een Marokkaanse jongen met een pokdalig gezicht en zachte, bruine ogen omringd door overdreven dikke, lange wimpers, keek me meewarig aan. 'Mevrouw? Kunt u meekomen naar de ambulance? Dan kijken wij even naar uw verwondingen.'

Hij hielp me overeind en we schuifelden voetje voor voetje naar de gele wagen. Ik leek wel vierentachtig.

'Wilt u iets tegen de pijn?'

Hij controleerde mijn pupillen met een soort lichtpen. Ik schudde mijn hoofd.

'Of misschien iets om wat te kalmeren?'

'Nee. Ik wil geen pillen meer.'

'Het hoeft niet, maar ik kan me voorstellen dat u erg veel pijn heeft…'

'Daar trap ik niet in. Ik ben niet psychotisch, al denken jullie misschien van wel, ik werk rustig mee, maak je maar geen zorgen, maar ik slik niets meer.'

'Het is goed, mevrouw.'

Hij klopte zachtjes over mijn gezicht en vroeg of dat pijn deed. Toen hij mijn neus betastte, kromp ik ineen.

'Ah. Daar was ik al bang voor. Uw neus is vermoedelijk gebroken. U moet straks even mee naar de eerste hulp. Maar eerst zal ik uw handen schoonmaken en verbinden.' Hij pakte zachtjes mijn beide handen, draaide ze om, bekeek ze nauwkeurig en streek voorzichtig het zand eraf.

'Het zijn alleen wat snijwonden. Niets ernstigs. Hoeft niet gehecht te worden.'

Ik verwonderde me over zijn vriendelijkheid. Misschien was hij wel doodsbenauwd, of had hij geleerd om gestoorden zo voorzichtig mogelijk aan te pakken.

Een agente stapte binnen, gevolgd door Victor, die keek alsof hij net zelf aan de dood was ontsnapt. Zijn haren stonden rechtovereind door de wind, wat hem deed lijken op de professor uit *Back to the Future*. De agente boog zich over me heen en legde haar hand op mijn schouder.

'Mevrouw Vos, bent u in staat om straks een verklaring af te leggen?'

De verpleger protesteerde. 'Ik denk het niet. Haar neus is gebroken en ze lijkt ondervoed en uitgedroogd. Het lijkt me beter als jullie die morgen in het ziekenhuis komen opnemen…'

'Goed.'

De agente kwam half overeind en zette haar handen in haar zij. Ik keek naar haar riem, waaraan handboeien hingen en een mobilofoon waaruit allerlei geruis en geknetter klonk.

'Mevrouw Vos, ik kom morgen even bij u kijken, waarschijnlijk met collega Van Dijk, met wie u al hebt kennisgemaakt. We nemen uw zus nu mee. U hoeft niet meer bang te zijn.'

Ik keek naar Victor en toen weer naar haar en snapte er niets van. Was dit een truc? Mijn hart begon te roffelen, het voelde alsof er een tram door mijn borstkas reed.

'Wie is er dan bij de kinderen? Ze zijn toch niet alleen thuis? Victor? Jij was toch bij hen?'

Hij zakte naast me door zijn knieën.

'Maria, Merel en Wolf zijn bij hun vader. Veilig in een hotel hier in Bergen, ze slapen en het gaat goed met ze. En ik ben je mijn excuses verschuldigd. Het spijt me. Het spijt me verschrikkelijk. Ik heb een grote, afschuwelijke fout gemaakt…'

Zijn wang trilde en zijn stem sloeg over. Even dacht ik dat hij in tranen uit zou barsten. Hij haalde nerveus zijn handen door zijn verwilderde haardos en klopte op mijn been. De verpleger wikkelde een verband om mijn pols.

'Ik begrijp het niet, Victor. Wat is er gebeurd? Hoe wisten jullie dat wij hier waren?'

'Dat is een lang verhaal. Maar vanavond hebben ze Martins lijk opgegraven en tijdens een huiszoeking hebben ze het kamertje gevonden waar jij opgesloten zat.'

44

Er ging een schok door me heen toen ik ze bedremmeld schuifelend binnen zag komen, twee kaalgeschoren hoofdjes, hun ogen verschrikt. Merel en Wolf vonden dat ik er eng uitzag, met verband om mijn hoofd en met mijn gezicht vol kneuzingen. Geert kwam achter hen aan, hij droeg een enorme bos rode rozen.

Zwijgend legde Wolf een tekening op mijn bed, waarna hij zijn vingers richting zijn mond bracht. Hij beet op zijn nagels en durfde nauwelijks naar me te kijken. Ik streelde hem over zijn bol en drukte hem aan mijn borst. 'Lieve, lieve Wolf, ik heb je zo gemist.'

'Ik jou ook, mam,' stamelde hij en hij wurmde zich los uit mijn te stevige omhelzing.

Ik strekte mijn armen uit naar Merel, waarna ze aarzelend op me af stapte. Ze kuste me op mijn wang en legde haar handen voorzichtig op mijn schouders. 'Hoi, mam…' Ik trok haar naar me toe en werd bijna overweldigd door verdriet toen ik haar stoppelige koppie langs mijn wang voelde glijden.

'Ach, lieverds, ik ben zo blij dat ik jullie weer zie…'

'Kijk, mam,' zei Wolf en hij wiebelde met zijn vinger aan zijn boventand, die eindelijk loszat. Heerlijk vond ik het, hoe ze na vijf minuten verlegen knuffelen gewoon weer overgingen op de orde van de dag. Ze maakten ruzie over wie er bij mij op bed mocht zitten. Merel vroeg of ze televisie mocht kijken, Wolf wilde tekenen.

'Je hebt zeker wel een cadeautje meegenomen, nu je zo lang weg bent geweest?' vroeg Wolf en hij kreeg meteen een stomp tegen zijn arm van zijn zus.

'Doe normaal! Mama is ziek, dat zie je toch!'

Geert zat op het puntje van een klapstoel voorovergebogen naar de vloer te staren. Ik zag dat zijn kaakspieren zich spanden en dat hij zijn best deed om te verzinnen wat hij moest zeggen. Hij wist niet waar hij moest beginnen. Ik ook niet.

'Gaat het een beetje?' mompelde hij schor, en hij keek me medelijdend aan.

'Het gaat goed,' antwoordde ik, en ik glimlachte naar hem.

Hij schudde zijn hoofd.

'Ik heb niks ernstigs. Dat infuus is om mijn vochtgehalte weer op peil te brengen en dit verband zit er omdat ze de wond achter op mijn hoofd gehecht hebben. En mijn neus is gebroken. Vandaar dat ik eruitzie als Mike Tyson.'

Hij lachte snuivend en wreef in zijn ogen. Daarna legde hij zijn handen tegen zijn wangen. 'Ik dacht dat je dood was, echt. Je werd vermist, ze vonden het lijk van Martin… Toen wist ik het zeker. Ik heb mezelf vervloekt. Ik dacht: hoe heb ik dit zo kunnen laten gebeuren? Waarom ben ik niet naar Ans toe gegaan? Waarom ben ik zo laf?'

'Je hoeft jezelf niets te verwijten, Geert. Niemand had dit kunnen bedenken.' Ik pakte zijn hand en kuste zijn vingers.

We schrokken op van gekuch. Van Dijk en Victor stonden in de deuropening. Ze stapten naar binnen en schudden mij en Geert om beurten de hand. Victor droeg nog steeds dezelfde kleren als vannacht, een verfomfaaid bruin corduroy pak met daaronder een bordeauxrode spencer en een bruingeruit overhemd. Van Dijk liep in zijn kaki trenchcoat en leek op een overspannen voetbaltrainer.

Geert vroeg de kinderen of ze trek hadden in een ijsje en dat hadden ze wel, maar ze wilden ook bij mij blijven. 'Ik ga nooit meer weg, jongens. Jullie mogen zo lang bij me blijven als jullie willen, en als jullie weggaan, ga ik mee,' beloofde ik hun en mezelf, waarna ze sloffend vertrokken met Geert. Ik zag hoe Merel zijn hand zocht, en dat ontroerde me.

Victor nam plaats op Geerts stoel en Van Dijk aan de andere kant. Victor streek voortdurend neurotisch door zijn haar. 'Ja.' Hij wreef met zijn hand over zijn ogen en keek even naar het plafond, alsof daar de woorden geschreven stonden die hij tegen me wilde zeggen. 'Maria, allereerst mijn excuses. Ik heb als psychiater nooit eerder zo gefaald als nu. Ik kan wel zeggen dat ik er kapot van ben. Ik blijf me maar afvragen: hoe heeft dit kunnen gebeuren? Onder mijn ogen? Hoe kan het dat ik me zo voor haar karretje heb laten spannen? Ik ben mijn positie ernstig aan het heroverwegen. Echt. Dat kun je van me aannemen...'

Een verpleegster bracht koffie. Ze bood de heren ook een kopje aan, wat ze gretig aanvaardden. We namen in stilte een eerste slok en ik genoot van de warme, verse koffie die mijn lichaam verwarmde.

'Weet je, ik werk al ruim twintig jaar voor het RIAGG. Ik behandel en beoordeel ouders die ernstige persoonlijke problemen hebben met zichzelf, met elkaar of met hun kinderen. Ik zie junks, alcoholisten, schizofrenen, misbruikte vrouwen en kinderen. In eerste instantie probeer ik ze zelf hun problemen te laten oplossen. Pas wanneer dat niet lukt, adviseer ik een opname of ondertoezichtstelling, vaak in overleg met je zus. Zodoende kennen we elkaar.

Een jaar geleden gaf Ans te kennen dat ze het werk erg zwaar begon te vinden. Ze had steeds meer moeite met de ellende die we dagelijks op ons bord kregen. We praatten veel in die tijd en ontwikkelden een soort band. Gewoon, als vrienden en collega's. Ik bewonderde haar. Ze vertelde over jullie jeugd, jullie moeder, die het hele gezin tiranniseerde, en dat jullie nooit hulp kregen. Dat ze in het jeugdwelzijnswerk was gegaan om kinderen zoals jullie eens waren, te helpen. Ik dacht: als iemand werkelijk iets kan betekenen voor de kinderen die we hier zien, dan is zij het wel. Zij motiveerde mij. Hoe moeilijk ze het soms ook had, ze wist zich er steeds weer overheen te zetten, ze ging door, ondanks haar problemen met Martin, de steeds weer mislukkende ivf-pogingen. En ze zei tegen me: jij bent de reden dat ik doorga met dit werk, jij maakt dat ik er nog plezier in heb, jij bent mijn inspiratie. Ik moet eerlijk zeggen, dat vleide me. Ik vond het aangenaam dat ze me in vertrouwen nam. Ik wist dat ze zwanger was. Ik wist eerder dan haar eigen man dat de vrucht niet leefde. Ze meldde zich ziek en bleef vrij lang thuis, en al die tijd was ik de enige op het werk met wie ze contact onderhield. Het verbaasde me wel dat ze haar verdriet zo goed wist te beheersen. Ze had een kind verloren, haar man was ervandoor, erger kon haar situatie niet worden, maar ze leek er heel gelaten onder. Enfin, toen kwam jij bij haar in huis. Ze had het niet vaak over je, maar als ze over je sprak, was dat doorgaans negatief. Jij was het labiele zusje met twee kinderen, van verschillende vaders. Je dronk, je gebruikte drugs, je verwaarloosde je kinderen. Je weigerde al haar hulp. Ze had al een aantal keren een poging gedaan om je onder toezicht te stellen, maar je problemen waren nooit erg genoeg. De school waar Merel en Wolf naartoe gingen, had geen klachten, buren zeiden dat het allemaal prima ging, de huisarts ook. Daar zat ze mee. Het moest wel fout gaan, maar niemand zag het aankomen, behalve zij.

Ik geloofde haar, Maria. Je moet niet vergeten, de verhalen die ze vertelde over jullie jeugd waren niet mis. Ik kon goed begrijpen dat jij met zo'n achtergrond ontspoord was, al kende ik je niet. Dus toen ze belde dat jij met de kinderen tijdelijk bij haar was ingetrokken, was ik eigenlijk blij voor haar. Eindelijk ging er wat gebeuren. Ik bood aan te helpen.'

Een weeïg gevoel trok op in mijn buik. Ans was al tijden bezig, achter mijn rug om, om me mijn kinderen af te nemen. De school? Mijn buren? Niemand had me ooit gezegd dat er vragen over me gesteld werden. En labiel? Ik? Omdat ik niet om halfzes met mijn kinderen achter een pan spruitjes zat?

'Ze belde me 's nachts. Dat je helemaal door het lint ging. Ik had geen dienst en adviseerde haar eerst dat het beter was de dienstdoende psychiater in het crisiscentrum te bellen. Of de huisarts. Het was beter om deze kwestie via het reguliere circuit op te lossen. Maar ze wilde daar niets van weten. Ze was vreselijk overstuur. Huilde dat jij haar zusje was, haar kleine zusje, en dat ze je niet naar een inrichting wilde sturen. Zij en ik, we waren professionals, wij konden jou helpen, in een beschermde, warme omgeving. Dat was beter. Voor de kinderen, voor jou, voor haarzelf. Ik vond daar wat in zitten. Wij wisten beiden als geen ander hoe het toeging in een psychiatrisch centrum. Dat gun je inderdaad je dierbaren niet.

Nu realiseer ik me dat ze mij nodig had om jou medicijnen voor te schrijven. Ik was al bevooroordeeld door haar verhalen. Ik heb me als ervaren psychiater laten misbruiken. En het liep uit de hand, helemaal...'

Hij sloeg zijn ogen neer en kneep ze dicht. Hij zuchtte en met die zucht verliet alle kracht zijn lichaam. Hij kneep met zijn duim en wijsvinger in zijn neus, tussen zijn ogen, alsof daar een knopje zat waarmee hij zichzelf weer onder controle kon krijgen.

'Ik heb de politie gebeld toen ik zag dat ze de kinderen kaal had geschoren. Toen wist ik het. Ik keek in haar ogen en ik zag het. Dat was een afschuwelijk moment. Afschuwelijk. Het besef...'

Hij schudde met zijn hoofd. 'Ik wist gewoon ineens wat ze van plan was. Alsof ik het al die tijd onbewust al had geweten, maar die gedachten, die twijfel steeds had weggestopt. Maar ze ontsprongen in mijn hoofd, allemaal tegelijk. Ik realiseerde me ook waarom ik aan haar verschrikkelijke kruistocht had meegewerkt. Het is vreselijk. Ze vleide me. Ik ben een man alleen, Maria. En mijn patiënten haten me. Jij haatte me. Ik adviseer uithuisplaatsing van kinderen, opnames in een psychiatrisch centrum of afkickkliniek, ik beoordeel en veroordeel. Daar is niemand me ooit dankbaar voor. Ook de kinderen niet die ik uit de handen van een mishandelende vader red.'

Hij wreef met zijn handen over zijn knieën, wat hij wel vaker had gedaan gezien de sleetse plekken op zijn broek, en stond op.

'Alles wat ik zeg, ik weet het, is te laat, een beroerd excuus waar jij nu niets meer aan hebt. Maar ik hoop dat je gelooft dat het me spijt. Je hoeft me niet te vergeven, maar alleen maar te geloven dat ik nooit met kwade bedoelingen heb meegewerkt aan het plan van je zus. Ik ben slachtoffer. Net als jij.'

Ik onderdrukte de sterke neiging om hem op zijn schouder te kloppen en te zeggen dat het allemaal wel weer goed kwam en dat het niet gaf.

'Ik geloof heus wel dat je de kwaadste niet bent. Maar je moet jezelf niet vergelijken met mij. Laten we dit verhaal nu niet omdraaien.'

Hij ontweek mijn blik. We namen afscheid en schudden elkaar formeel de hand. De zijne was klam en krachteloos.

Van Dijk keek me aan en hief zijn handen in de lucht. 'Fouten, fouten, we hebben ze allemaal gemaakt. Ik ook.' Hij stond op, strekte moeizaam zijn benen en liep naar het raam.

'Maar hoe wisten jullie wat er werkelijk aan de hand was?'

'Eerlijk gezegd, was het toeval. Er kwam een aantal verhalen op hetzelfde moment bij elkaar. En toen konden we er niet meer omheen...'

'Wat voor "verhalen"?'

'Nou ja, in de eerste plaats zaten we met de dood van Harry Menninga. We hadden jou als enige verdachte, maar gesprekken met zijn collega's en vrienden riepen andere vragen op. Waar was het geld dat hij had belegd? Waar was Martin? Ik had in mijn achterhoofd natuurlijk nog jouw verhaal over hem... En toen dook de vriendin van Martin op. Ze vertelde ons dat Martin niets te maken kon hebben met Harry's dood. Hij was spoorloos verdwenen sinds de dag waarop ze hadden besloten samen verder te gaan. Ze vermoedde dat Ans daar iets mee te maken had. Martin had gezegd dat hij bang van haar werd. Diezelfde ochtend dat zij met haar verklaring kwam, kregen we ook een opvallende melding van een kennisje van jou, ene mevrouw Wijker?'

'Daphne?'

'Ja, Daphne Wijker en haar man Chris. Hij is stratenmaker. Hij heeft onlangs een betonnen vloer gestort bij je zus, achter het huis. Ze wilde daar een terras. Daphne vond dit opmerkelijk, gezien alle verhalen die door het dorp gonsden over de verdwijning van Martin en de dood van zijn vriend. Ze vertelde ook dat ze Martin de nacht vóór zijn verdwijning naakt door de duinen had zien rennen. We besloten Duinzicht te doorzoeken. Ans was inmiddels verdwenen, naar later bleek met jou. We vonden de kamer waarin jij opgesloten had gezeten. Naar aanleiding daarvan heb ik opdracht gegeven de betonnen vloer open te maken. En daar vonden we inderdaad het lichaam van Martin. Meteen daarna hebben we groot alarm geslagen.'

'Hoe wisten jullie dat we op het strand waren?'

'Een jongeman die daar in de buurt met vuurwerk aan het klooien was, had jullie geschreeuw gehoord.'

'En Merel en Wolf, waar waren zij al die tijd?'

'Die zijn tot de ochtend van de huiszoeking bij Ans geweest. We troffen ze alleen in huis aan. Vervolgens hebben we hun vader gebeld…'

Wolf dribbelde de kamer in, met een grote hoorn softijs voor zich uitgestoken. In zijn andere handje hield hij een zilverkleurige ballon, in de vorm van een hart. *Get well soon* stond er in vrolijke letters op. 'Deze is voor jou! Cadeautje van ons!'

Ik dacht aan Harry, die mijn kinderen nooit had mogen ontmoeten en zonder wie ik dit alles wellicht niet had overleefd. En aan de cyclus van verloren kinderen: Stephan, Ans' zo gewenste en mijn ongewenste kind, deze spiraal die ertoe had geleid dat Harry's ouders nu hun kind moesten begraven.

45

Ze leek klein in het armoedige kamertje met plastic meubilair. Klein, broos en broodmager. Absoluut geen moordenares. Haar haren waren eraf, evenals de mijne. Zonder make-up leek ze ouder dan vijfendertig. Met trillende hand zat ze een sigaret te roken, zoals velen vóór haar hadden gedaan, gezien de brandplekken op de groene plastic tafel. We zaten tegenover elkaar en wisten geen van beiden waar we moesten beginnen. Ik begon te twijfelen of het wel zo'n goed idee was om haar te bezoeken. Ik had haar zoveel te vragen, zoveel te zeggen, maar tegenover me zat niet Ans, mijn zus, maar een nerveus wrak, dat nauwelijks in staat leek iets te kunnen zeggen, laat staan antwoord geven op mijn vragen.

Ik vroeg hoe het met haar ging en ze werd meteen boos.

'Wat denk je? In deze smerige, aftandse bende? Wat denk je nou? Bacteriën, microben, viezigheid, overal! En allemaal idioten om me heen. De hele tijd. Waar ik ook ben, wat ik ook doe, iedere keer staat iemand me te begluren. En dan vraag jij hoe het met me gaat?'

Ik voelde hoe de angst me onmiddellijk weer bij de keel greep. Ik kon niet tegen haar geschreeuw, tegen de haat in haar ogen. Er kon me hier niets gebeuren, maar ik voelde me niet veilig. Ik stond op en voelde een onweerstaanbare drang om weg te lopen. Laat haar hier maar wegrotten. Ze haat me. Ze heeft mijn zwager en de man op wie ik verliefd had kunnen worden, vermoord. Ze verdient niet beter dan dit. Het had maar een haar gescheeld of ík had hier gezeten. Of erger. Donder op. Ik liep terug naar de deur en de bewaker stond alweer op. Ik draaide me nog één keer om, en zag dat ze huilde. Zonder geluid. Haar rug schokte, haar gezicht trilde en ze begon met haar vuist op tafel te bonken.

'Het was niet de bedoeling,' piepte ze, 'het was niet de bedoeling. Het ging gewoon… Ik weet niet. Vanzelf.'

Ik stond bij de deur, er zat ruim twee meter afstand tussen ons en nog voelde het alsof ze haar klauwen in mijn nek had geslagen.

'Ik ben kwaad. Zo razend. Weet je wat het is om je zo razend te voelen?'

Ik schudde mijn hoofd. Ik wist niet hoe dat voelde. Ik vroeg de bewaker om de deur te openen.

Ze begon te praten. Meer tegen zichzelf dan tegen mij. 'Martin wilde niet meer. Dat zei hij. Dat het onverantwoord was om zo door te gaan. We gingen er allebei aan onderdoor. Het tierde door mijn hoofd. Hij liegt, hij liegt, hij liegt. Ik zei ook: je liegt, er is meer, iets anders, vertel me de waarheid, vertel me de waarheid! En hij stond daar maar te staan. Rot op! Ik gooide een vaas naar zijn hoofd. Ik bloedde nog. Ik bloedde nog van ons kind. Hoe kon hij dat doen? Ik dwong hem de waarheid te zeggen. En toen vertelde hij dat jij een abortus had gehad. Hij had het me willen besparen, maar ik had hem gedwongen.'

'Je weet toch dat hij een vriendin had?'

'Ik voelde het. Hij wilde weg. Hij zou een kind krijgen met een ander. Hij zou alles waar wij altijd over fantaseerden met een ander gaan doen. En jij had een kind weg laten halen. En hij wilde naar bed. We moesten er de volgende dag maar verder over praten. Als we allebei wat gekalmeerd waren…

242

Ik pakte een kandelaar. En sloeg hem. Hij rende weg, naar buiten. Het was steenkoud en hij bloedde. Ik deed de deuren op slot en ging naar boven. Daar was ik nog razend. Het ging niet weg. Het werd erger en erger.'

Ze trilde nu zo erg dat ze geen sigaret uit het pakje kreeg. Ik durfde haar niet te helpen.

'Komt van de medicijnen.'

Ze begon te wiegen en sloeg haar handen voor haar gezicht.

'De volgende ochtend vond ik zijn lichaam. Voor de tuindeuren, in een plas bloed. Ik wilde hem niet doden. Ik sleepte hem naar binnen, waste hem… Dat lichaam… Zo wit, zo dood…

Maar het went, weet je? Een lijk. Eerst schrik je en raak je in paniek, maar op een gegeven moment… Het was Martin niet meer. Het werd gewoon een ding. Iets waar ik zo snel mogelijk van af moest. En het was heel gek, maar ik was zo helder. Mijn gedachten… glashelder. Ik wist wat ik moest doen. Het plan, dat kwam gewoon. Zo logisch. Zo briljant. Het ontvouwde zich in mijn hoofd, alsof het er altijd al had gezeten. Iedere nacht kreeg ik wel een nieuw idee! Na de dood van Martin… Als je die drempel eenmaal over bent, als je iemand hebt gedood en zijn lijk hebt begraven en er geen haan naar kraait, dan blijkt het zo simpel. Dan is het nog maar een kleine stap om het weer te doen.'

'Heb je niet één keer bedacht hoeveel verdriet je Merel en Wolf aan zou doen?'

Ze keek geïrriteerd op en ik schrok van haar bloeddoorlopen ogen en haar emotieloze blik.

'Soms moet je doen wat het beste is voor kinderen. Ze blijven liever bij ouders die ze iedere dag verrot slaan, dan dat ze naar een pleeggezin gaan, of naar een opvangtehuis. Het is mijn taak om over die emoties heen te kijken.'

Ik liep terug naar de tafel en wilde een sigaret uit haar pakje halen. Ik had bijna een week niet gerookt, maar nu kon ik me niet langer beheersen. Ze pakte mijn pols en zette haar nagels erin.

'Wat weet jij van pijn, van eenzaamheid! Jij bent geboren voor het geluk en ik voor het ongeluk. Dat is niet jouw verdienste! Je trekt het aan, zoals ik ellende aantrek.'

De bewaker stapte in onze richting en verzocht Ans mij los te laten.

Ik ging tegenover haar staan. Ook ik trilde nu van woede, en ik voelde iets van de razernij waardoor zij al maanden werd beheerst. 'Je bent mijn zus, maar vreemder voor mij dan wie dan ook. Je bent niet geboren voor het ongeluk, je hebt het zelf opgezocht! Je hebt je altijd verscholen achter mij! Jij hebt een andere weg gekozen. De weg van de haat, de achterdocht, de jaloezie.'

Ans keek me nu recht in de ogen. De spieren in haar nek spanden zich en het leek alsof ze me aan wilde vliegen. 'Jij, jij liet ons in de steek. Jij liet mij achter met de ellende! Ik,' ze prikte met haar vinger tegen haar borst, op de rand van hysterie, 'ík heb hem verzorgd toen hij aftakelde! Ik was zijn kamermeid! En nog kon er geen greintje liefde van af! Ja, als jij kwam, dan was het feest!'

De bewaker, die al die tijd tussen ons in had gestaan, sloeg een arm om Ans heen. 'Ik denk dat het tijd wordt om afscheid te nemen,' zei hij tegen mij. Ans rukte zich los.

'Het spijt me,' zei ik tegen haar. 'Maar je had wel een keuze, net als ik, maar jij koos ervoor onzichtbaar te zijn. En voor jezelf wegcijferen krijg je nu eenmaal geen applaus.'

Ik keek haar na, hoe ze in elkaar gedoken voor de verpleger uit liep, en ik drukte mijn laatste sigaret uit.

Bedankt Tineke, Tineke Q., Nicolette, Els, Tom en vooral mijn vriend en echtgenoot Marcel voor jullie steun, inspiratie en geloof in mij.

Bedankt Lydia voor het delen van je kennis omtrent politiewerk met mij.

Bedankt Janine voor het lenen van je boeken over Bergen aan Zee en het vertellen van je ervaringen als bleekneusje in Bio Vakantieoord.

Bedankt papa en mama voor alle verhalen en herinneringen.